普通高等教育"十一五"国家级规划教材

对外汉语短期强化系列教材

A series of Chinese textbooks for short-term intensive training programs for foreigners

SHORT-TERM SPOKEN CHINESE

第二版
2nd Edition

汉语口语速成

基础篇
Elementary

马箭飞■主编　李德钧　成文■编著

北京语言大学出版社
BEIJING LANGUAGE AND CULTURE
UNIVERSITY PRESS

图书在版编目（CIP）数据

汉语口语速成. 基础篇/马箭飞主编；李德钧，成文
编著 .—2 版 .—北京：北京语言大学出版社，2010 重印
（对外汉语短期强化系列教材）
ISBN 978 - 7 - 5619 - 1686 - 5

Ⅰ. 汉…　Ⅱ. ①马…②李…③成…　Ⅲ. 汉语 -
口语 - 对外汉语教学 - 教材　Ⅳ. H195.4

中国版本图书馆 CIP 数据核字（2006）第 078459 号

书　　　名：汉语口语速成. 基础篇
责任印制：汪学发

出版发行　**北京语言大学出版社**

社　　址：北京市海淀区学院路 15 号　邮政编码：100083
网　　址：www.blcup.com
电　　话：发行部　82303650 /3591 /3651
　　　　　　编辑部　82303647
　　　　　　读者服务部　82303653 /3908
　　　　　　网上订购电话　82303668
　　　　　　客户服务信箱　service@blcup.net
印　　刷：北京外文印刷厂
经　　销：全国新华书店

版　　次：2006 年 12 月第 2 版　2010 年 1 月第 9 次印刷
开　　本：787 毫米×1092 毫米　1 / 16　印张：16.75
字　　数：212 千字
书　　号：ISBN 978 - 7 - 5619 - 1686 - 5 /H·06134
定　　价：38.00 元

修订说明

　　《汉语口语速成》系列教材自 1999 年陆续出版以来,备受国内外汉语教师和学习者的欢迎,是目前最畅销的一套短期强化汉语口语系列教材。此次修订,教材更被中国教育部列为"普通高等教育'十一五'国家级规划教材",是"十一五"国家级规划教材中唯一的一套对外汉语系列教材。第二版根据社会的发展更换了部分内容过时的课文,保持了教材内容贴近当代中国现实生活的特点,同时根据多年来的教学反馈对语言点进行了适当的调整,并改进了版面设计,以使教材更便于使用。

北京语言大学出版社

2006 年 9 月

《汉语口语速成》是为短期来华留学生编写的、以培养学生口语交际技能为主的一套系列课本。全套课本共分五册,分别适应"汉语水平等级标准"初、中、高三级五个水平的留学生短期学习的需求。

编写这样一套系列课本主要基于以下几点考虑:

1. 短期来华留学生具有多水平、多等级的特点,仅仅按初、中、高三种程度编写教材不能完全满足学生的学习需求和短期教学的需求,细化教学内容、细分教材等级,并且使教材形成纵向系列和横向阶段的有机结合,才能使教材具有更强的针对性和适应性。

2. 短期教学的短期特点和时间高度集中的特点,要求我们在教学上要有所侧重,在内容上要有所取舍,不必面面俱到,所以短期教学的重点并不是语言知识的全面了解和系统掌握,而是注重听说交际技能的训练。这套课本就是围绕这一目的进行编写的。

3. 短期教学要充分考虑到教学的实用性和时效性,要优选与学生的日常生活、学习、交际等有直接联系的话题、功能和语言要素进行教学,并且要尽量地使学生在每一个单位教学时间里都能及时地看到自己的学习效果。因此,我们试图吸收任务教学法的一些经验,力求每一课书都能让学生掌握并应用一项或几项交际项目,学会交际中所应使用的基本的话语和规则,最终能够顺利地完成交际活动。

4. 教材应当把教师在教学中的一些好经验、好方法充分体现出来。在提供一系列学习和操练内容的同时,还应当在教学思路、教学技巧上给使用者以启示。参与这套教材编写的人员都是有多年教学经验、并且在教学上有所创新的青年教师,他们中的多人都曾获得过校内外的多个教学奖项,我们希望这套教材能够反映他们在课堂教学方面的一些想法,与同行进行交流。

5. 编写此套教材时,我们力求在语料选取、练习形式等方面有所突破。尽量选取和加工真实语料,增加交际性练习内容,使用图片、实物图示等手段丰富教材信息、增加交际真实感,体现真实、生动、活泼的特点。

《汉语口语速成》系列课本包括入门篇(上)、入门篇(下)、基础篇、提高篇、中级篇、高级篇六本。

1. 入门篇(上)(下)

适合零起点和初学者学习。共30课,1~5课为语音部分,自成系统,供使用者选用。6~30课为主课文,涉及词汇语法大纲中最常用的词汇、句型和日常生活、学习等交际活动的最基本的交际项目。

2. 基础篇

适合具有初步听说能力、掌握汉语简单句型和800个左右词汇的学习者学习。共25课,涉及大纲中以乙级词汇为主的常用词、汉语特殊句式、复句以及日常生活、学习、社交等交际活动的简单交际项目。

3. 提高篇

适合具有基本的听说能力,掌握汉语一般句式和主要复句、特殊句式及1500个词汇的学习者学习。共24课(包括新添的四个复习课),涉及以重点词汇为主的乙级和丙级语法内容和词汇;涉及生活、学习、社交、工作等交际活动的一般性交际项目。

4. 中级篇

适合具有一般的听说能力,掌握2500个以上汉语词汇以及一般性汉语语法内容的学习者学习。共14课,涉及以口语特殊格式、具有篇章功能的特殊词汇为主的丙级与丁级语法和词汇以及基本的汉语语篇框架;涉及生活、学习、工作、社会文化等方面内容的较复杂的交际项目。

5. 高级篇

适合具有较好的听说能力、掌握3500个以上汉语词汇,在语言表达的流利程度、得体性、复杂程度等方面具有初步水平的学习者学习。共20课,涉及大纲中丁级语法项目和社会文化、专业工作等内容的复杂交际项目,注重训练学习者综合表达自己的态度见解和分析评判事情的能力。

《汉语口语速成》系列课本适合以6周及6周以下为教学周期的各等级短期班的教学使用,同时也可以作为一般进修教学的口语技能课教材和自学教材使用。

目　　录　Contents

第 1 课 Lesson One
认识一下

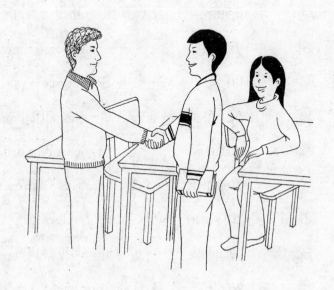

生 词　New Words

1. 猜	动	cāi	to guess
2. 一定	副、形	yídìng	surely；sure
3. 聪明	形	cōngming	clever
4. 希望	动、名	xīwàng	to hope；hope
5. 流利	形	liúlì	fluent
6. 公司	名	gōngsī	company
7. 派	动	pài	to send

基础篇

8. 先	副	xiān	first
9. 然后	连	ránhòu	then
10. 发音	名、动	fāyīn	pronunciation; to pronounce
11. 关照	动	guānzhào	to take care of
12. 同屋	名、动	tóngwū	roommate; to live in the same room
13. 结束	动	jiéshù	to finish
14. 一边	副	yìbiān	at the same time
15. 京剧	名	jīngjù	Beijing opera
16. 从来	副	cónglái	always, all along
17. 段	量	duàn	(a measure word)
18. 华侨	名	huáqiáo	overseas Chinese
19. 职员	名	zhíyuán	office clerk
20. 特别	副、形	tèbié	specially; special
21. 为了	介	wèile	in order to
22. 谈话		tán huà	to talk

专 名 Proper Names

1. 飞龙	Fēilóng	(name of a person)
2. 李钟文	Lǐ Zhōngwén	(name of a person)
3. 望月智子	Wàngyuè Zhìzǐ	(name of a person)
4. 爱珍	Àizhēn	(name of a person)
5. 林福民	Lín Fúmín	(name of a person)
6. 韩国	Hánguó	the Republic of Korea

7. 法国	Fǎguó	France
8. 日本	Rìběn	Japan
9. 印度尼西亚	Yìndùníxīyà	Indonesia
10. 美国	Měiguó	U.S.A.

课文　Texts

1

飞　龙：你好，你叫什么名字？

李钟文：我叫李钟文。

飞　龙：你好，李钟文。请问你是哪国人？

李钟文：你猜猜。

飞　龙：我猜你一定是韩国人。

李钟文：猜对了。你真聪明！你呢？

飞　龙：我叫飞龙，法国人，是大学生。

李钟文：你为什么来学汉语？

飞　龙：我希望能说一口流利的汉语，跟中国人交朋友。

李钟文：哦，明白了。我不一样，是公司派我来学习的。[1]我要先在这
　　　　儿学习半年，然后在中国工作。[2]

2

望　月：我叫望月智子，我的发音不太好，请多多关照。

爱　珍：我的中文名字叫爱珍，我是从美国来的。很高兴跟你同屋。

望　月：我也很高兴。不过我不会说英语。

爱　珍：没关系。这样更好，咱们俩每天都可以练习说汉语。

望　月：希望学习结束的时候，我能说一口流利的汉语。

爱　珍：这个暑假，我要一边学汉语，一边学京剧。[3]

望　月：你会唱京剧？我从来没听过京剧，现在能唱一段吗？

爱　珍：现在不行，一个月以后吧。到时候我一定唱给你听。

3

　　望月他们班一共有 16 个学生，有日本人、韩国人、美国人和法国人，还有华侨。他们的打算都不一样。

　　韩国学生李钟文是公司职员，以前在韩国学过一点儿汉语，他觉得汉语一点儿也不难。[4]公司让他 9 月份以后在北京工作。

　　印度尼西亚学生林福民一天汉语班也没上过，可是他的爸爸、妈妈在家里都说汉语，所以他的口语特别好。[5]

　　美国学生爱珍学汉语是为了学唱京剧。[6]法国学生飞龙希望能流利地用汉语跟中国人谈话。

注　释　　Notes

[1] 是公司派我来学习的。

　　"是……的"强调说明做某件事的时间、地点、方式或人（团体）。被强调的必须是已经发生的事情。例如：

　　"是……的" emphasizes the time, the place, the way of doing something, or the agent who does it. What is emphasized must be something that has already taken place, e.g.,

　　① 他是今年 3 月到北京的。（时间）

② 这本书是在外文书店买的。(地点)

③ 教室里的灯不是田中开的,(是)飞龙开的。(做动作的人)

[2] 我要先在这儿学习半年,然后在中国工作。

汉语里常用"先"、"然后"两个关联副词前后呼应,来表示两件事情的顺序。前边一个分句表示先做或先发生的事,后一个分句表示后做或后发生的事。例如:

In Chinese, the adverb "先" is often used before the adverb "然后", to indicate the sequence of two events. The first clause expresses the action that has been done first or the event that has taken place first. The second clause expresses the action that has been done or the event that has taken place after it, e.g.,

① 昨天我们先参观了天安门、故宫,然后又去了景山、北海。

② 咱们先去喝点儿咖啡,然后再回宿舍,好吗?

注意 (NB):后一小句有主语时,"然后"一般要放在主语的前边。例如:

When there is a subject in the second clause, "然后" should go before the subject, e.g.,

③ 你先看,然后我再看。

[3] 我要一边学汉语,一边学京剧。

汉语里常用关联副词"一边……,一边……"表示在同一时间内进行两个或两个以上的动作。例如:

In Chinese, two "一边" are often used in conjunction to indicate doing two or more actions at the same time, e.g.,

① 妈妈一边做饭,一边跟客人聊天。

② 飞龙一边弹吉他,一边唱歌。

注意 (NB):句子中的动词必须是可以自主的动作,因此"他一边受表扬,一边脸红了。"这样的句子是错误的。

The verbs used in these sentences must be actions that are initiated by the agent himself. It's wrong to say "他一边受表扬,一边脸红了。".

[4] 他觉得汉语一点儿也不难。

"一……也/都＋不/没……"用来强调对某种动作、行为或某种性质的否定。数

词 "一" 后是量词或 "量词＋名词"，也可以是动量词。"一" 前有时可以用介词 "连"。例如：

"一……也/都＋不/没……" is used to emphasize negation of an action, behavior, or quality. A measure word, "measure word＋noun", or a verbal measure word is used after the numeral "一". Sometimes the preposition "连" is used before "一", e.g.,

① 马克来中国以前没学过汉语，一个汉字也/都不认识。

② 西安我一次也/都没去过。

③ 这两天他一点儿东西也/都没吃。

④ 这件事我连一点儿也不知道。

[5] 印度尼西亚学生林福民一天汉语班也没上过，可是，他的爸爸、妈妈在家里都说汉语，所以他的口语特别好。

"可是" 是表示转折的连词，用在两个分句之间。例如：

"可是" is a conjunction expressing transition. It's used between two clauses, e.g.,

① 我听说过这个名字，可是不知道是谁。

② 白雪个子很小，可是跑得很快。

[6] 美国学生爱珍学汉语是为了学唱京剧。

"为了" 常用在前一分句的开始表示目的，后一分句表示为达到这一目的而采取的行动。

"为了" is often used in the first clause of a compound sentence to indicate the aim, the second clause indicates the action taken to achieve the aim, e.g.,

① 为了让女儿专心工作，老人每天去女儿家里帮助做家务。

② 为了学汉语，很多外国人来到中国。

有时也可以先说所采取的行动，再用 "是为了" 引出这一行动的目的。例如：

Sometimes the action that is taken can be put before its aim introduced by "是为了", e.g.,

③ 她不吃肉是为了减肥。

④ 复习是为了记住学过的东西。

练 习　　Exercises

一、选两个合适的词语，用"先……，然后……"造句：

Choose two suitable words, then make a sentence using "先……，然后……".

例：上课　去公安局（gōng'ānjú, public security bureau）

→ 明天我先去上课，然后去公安局。

复习	预习	听写
喝酒	吃饭	学新课
买火车票	想好去哪儿	去邮局寄信
去商店买东西	出去办点儿事	跟朋友一起吃饭

二、用"一边……，一边……"改写句子：

Rewrite the following sentences using "一边……，一边……".

1. 林福民练习写汉字的时候听音乐。
2. 主人去开门，问："谁呀？"
3. 望月打扫房间的时候唱歌。
4. 爸爸喜欢看着电视吃饭。
5. 出租车司机开车的时候常常跟客人说话。

（出租车 chūzūchē, taxi; 司机 sījī, driver）

三、用"是……的"介绍这组画：

Describe the group of pictures using "是……的".

四、下边这段话也是介绍上面这组画的，请完成：

Complete the paragraph describing the group of pictures.

为了_____，上个星期小张和小李去上海了，今天中午回到北京。下了火车，两个人都饿了。他们一边_____，一边_____，他们想先_____，然后_____。

五、用"一……都/也＋不/没……"对话：

Complete each dialogue using "一……都/也＋不/没……".

1. A：你喜欢听中国歌吗？

   B：喜欢，可是歌词（gēcí, lyrics）_____。

2. A：昨天你睡得好吗？

   B：昨天晚上楼上有人开晚会，声音很大，我_____。

3. A：今天听写单词，谁的成绩最好？

   B：大卫_____，得了 100 分。

4. A：你们国家冬天冷不冷？

   B：_____，穿一件衬衫一件外套（wàitào, jacket）就可以了。

5. A：昨天开会的时候，校长（xiàozhǎng, president）说了什么？

   B：他说得太快，_____。

六、用"为了"或"是为了"改写句子：

Rewrite the sentences using "为了" or "是为了".

1. 爱珍想唱好京剧，每天很早就起床练习。

2. 金美英请假（qǐngjià, to ask for leave）回国，去参加姐姐的婚礼

（hūnlǐ，wedding）。

3．奶奶经常自己做衣服，这样可以少花钱。

4．李钟文学会汉语以后要在中国工作。

5．望月每星期给妈妈打一次电话，这样妈妈就不会担心（dānxīn，to worry）了。

6．飞龙想交中国朋友，他努力地练习口语。

七、用课文中的生词填空：

Fill in the blanks with the new words in this lesson.

1．你＿＿＿＿＿＿＿＿我是哪国人。

2．学校＿＿＿＿＿＿＿＿他去美国学习。

3．他＿＿＿＿＿＿＿＿能在 IBM 公司工作。

4．每天工作＿＿＿＿＿＿＿＿以后，他都要听会儿音乐。

5．我＿＿＿＿＿＿＿＿去买东西，然后回宿舍。

6．那家公司＿＿＿＿＿＿＿＿大。

7．来北京以后，她＿＿＿＿＿＿＿＿没去看过电影。

8．他＿＿＿＿＿＿＿＿不喝咖啡（kāfēi，coffee），他喝茶。

会 话　　**Dialogue**

完成下列对话（李钟文和班里的同学在一起谈话）：

Complete the dialogue.

李 钟 文：你好！我叫李钟文，韩国人。你呢？

李的同学：＿＿＿＿＿＿＿＿＿。＿＿＿＿＿＿＿＿＿很高兴。

李 钟 文：＿＿＿＿＿＿＿也＿＿＿＿＿＿＿。你的汉语怎么这么好？在＿＿＿＿＿＿学的？

李的同学：＿＿＿＿＿＿＿＿。你的汉语＿＿＿＿＿＿＿＿？

李 钟 文：是在韩国学的，不太好。

李的同学：在这儿学完以后，你打算去哪儿？

李 钟 文：学完以后，我先回国看看家里人，＿＿＿＿＿＿＿＿。你呢？

李的同学：我打算先＿＿＿＿＿＿＿＿，然后＿＿＿＿＿＿＿＿。

李 钟 文：哟，要上课了，＿＿＿＿＿＿＿再聊（liáo，to chat）吧。

第 2 课 Lesson Two
吃点儿什么

生 词	**New Words**			
1. 饭馆	名	fànguǎn	restaurant
2. 好吃	形	hǎochī	delicious
3. 便宜	形	piányi	cheap
4. 菜谱	名	càipǔ	menu
5. 头疼		tóu téng	to have a headache
6. 点	动	diǎn	to order（dishes）
7. 拿手	形	náshǒu	skillful
8. 炒烤牛肉		chǎo kǎo niúròu	stir-fried roast beef

9. 味儿	名	wèir	taste
10. 腻	形	nì	oily
11. 挺	副	tǐng	quite
12. 辣	形	là	spicy
13. 一…就…		yī…jiù…	once
14. 尖椒苦瓜		jiānjiāo kǔguā	fried balsam pear with hot pepper
15. 苦	形	kǔ	bitter
16. 甜	形	tián	sweet
17. 京酱肉丝		jīngjiàng ròusī	shredded pork cooked in Beijing sauce
18. 地道	形	dìdao	genuine
19. 风味	名	fēngwèi	flavor
20. 糖醋里脊		táng cù lǐji	sweet and sour tenderloin
21. 酸	形	suān	sour
22. 酸辣汤	名	suānlàtāng	sour and spicy soup
23. 冰镇	形	bīngzhèn	iced
24. 果汁	名	guǒzhī	fruit juice
25. 凉快	形	liángkuai	cool
26. 环境	名	huánjìng	environment
27. 舒适	形	shūshì	comfortable
28. 附近	名	fùjìn	vicinity
29. 热情	形	rèqíng	warm
30. 周到	形	zhōudào	satisfactory
31. 味道	名	wèidao	taste

32. 确实	副、形	quèshí	really；real
33. 咸	形	xián	salty

专名　Proper Name

刘艳　　　　　　　Liú Yàn　　　　　(name of a person)

课文　Texts

1

刘　艳：这家饭馆的饭菜又好吃又便宜。[1]这是菜谱，你们喜欢吃什么？

飞　龙：我一看中国菜谱就头疼，老师您先点吧。

刘　艳：行，我先点一个吧。他们这儿有个拿手菜叫"炒烤牛肉"。

飞　龙：味儿怎么样？腻不腻？

刘　艳：挺好吃的，[2]一点儿也不腻，可是有点儿辣。你们吃得了吗？[3]

李钟文：吃得了，我喜欢吃辣的。一有辣的，我就能多吃点儿。[4]

望　月：是吗？那再来个"尖椒苦瓜"，又苦又辣，让你再多吃一点儿。

飞　龙：甜味儿的菜有没有？我喜欢吃甜的。

刘　艳："京酱肉丝"是甜味儿的，是地道的北京风味。

李钟文：我吃过一个菜，叫"糖醋里脊"，又甜又酸，你一定喜欢。

2

望　月：菜够了，太多了咱们吃不了。再要个"酸辣汤"怎么样？

飞　龙：好的。没想到你们这么会点菜。[5]咱们喝点儿什么？

李钟文：啤酒！这么热的天当然要喝冰镇啤酒了。

刘　艳：我一喝啤酒就头疼、脸红，我和望月喝点儿果汁吧。

李钟文：行，不过，得先喝点儿啤酒，然后再喝果汁。

飞　龙：对，一边喝中国啤酒，一边吃中国菜，一边说中国话，我们的汉
　　　　语会越说越流利。

3

　　星期五晚上，李钟文和同学一起去吃晚饭。他们去了学校旁边的一家饭馆。那儿又干净又凉快，环境很舒适。在学校附近的饭馆里，那儿的客人总是最多。留学生都喜欢在那儿吃饭，有时候去晚了，就没有座位了。

　　吃完以后，同学们觉得那儿的服务员又热情又周到，菜的味道也确实不错，就是有一点点咸。[6] 大家都说，以后下了课可以经常去那儿吃饭。

注 释　　Notes

[1] 这家饭馆的饭菜又好吃又便宜。

　　汉语里用"又……又……"来连接并列的动词（动词短语）或形容词（形容词短语），强调两种情况或特性同时存在。例如：

In Chinese, one uses "又……又……" to link coordinate verbs (verbal phrases) or adjectives (adjectival phrases) to underline that two situations or characteristics exist simultaneously, e.g.,

① 女儿要去北京上大学了，妈妈心里又高兴，又难过。

② 孩子们高兴极了，又唱又跳。

③ 去饭馆吃饭都想吃得又好，花钱又少。

[2] 挺好吃的……

"挺"，副词，"很"的意思，表示程度高，口语常用。后边可以加"的"。例如：

"挺"，an adverb, has the same meaning as "很" expressing a high degree. It is often used in spoken Chinese. One can add "的" after it, e. g. ,

① 这东西挺好（的），就是有点儿贵。

② 他挺想去（的），可是没有时间。

③ 今天挺凉快（的），咱们可以去打球。

[3] 你们吃得了吗?

"动词＋得了/不了"有两个意思：

"verb＋得了/不了" has two meanings：

(1) "得了/不了"，是可能补语，"动词＋得了/不了"表示可能/不可能做某事。例如：

"得了" and "不了" are potential complements of possibility. The construction "verb＋得了/不了" indicates it's possible/impossible to do something，e. g. ,

① 有点儿辣，你吃得了吗？

② 爱珍病了，今天上不了课了。

③ 我看明天要下雨，颐和园还去得了吗？

④ 太长的句子我现在说不了。

(2) "了"（liǎo）表示"完"，"动词＋得/不＋了"表示能/不能做完某事。例如：

"了" indicates completion. The construction "verb＋得/不＋了" indicates able/unable to finish doing something，e. g. ,

⑤ 太多了咱们吃不了。

⑥ 今天的工作有点儿多，我一个人做不了。

⑦ 你喝得了这么多啤酒吗？

[4] 一有辣的，我就能多吃点儿。

在"一＋情况1，就＋情况2"里，情况1是条件，情况2是紧接着出现的结果。例如：

In the construction "一＋Situation 1，就＋Situation 2"，Situation 1 is the condition，whereas Situation 2 is what results directly from it，e. g. ,

① 天气一热，我就不想吃饭。

② 冰镇的东西我不能喝，我一喝就会肚子疼。

注意（NB）：

（1）"一"和"就"都是副词，应该放在主语的后边、谓语的前边。上边例子里"脸红"、"头疼"是主谓短语作谓语。

"一" and "就" are both adverbs and should be placed after the subject and before the predicate. In the examples above,"脸红" and "头疼" are subject-predicate constructions used as predicates.

（2）"他一进屋就睡觉了"不是条件复句，"一……就……"只表示两个动作紧接着发生，再比如：

In "他一进屋就睡觉了"，"一……就……" is not a conditional compound sentence. It indicates one action takes place immediately after another，e. g.，

③ 小王一吃完饭就出去了。

④ 我一到中国就给爸爸妈妈打了一个电话。

[5] 没想到你们这么会点菜。

汉语里的"这么＋形容词"可以表示程度，略带夸张，有使语言生动的作用。例如：

In Chinese，"这么＋adjective" can be used to indicate the degree with a little bit exaggeration which makes the language more vivid，e. g.，

① 想不到北京的夏天这么热！

② 生词这么多，今天学不完了。

③ 谢谢你送给我这么好的东西。

④ 都这么晚了，小王怎么还没回来？

[6] 就是有一点点咸。

"有一点点"比"有（一）点儿"程度更轻。例如：

The degree indicated by "有一点点" is a bit lower than that by "有（一）点儿"，e. g.，

①我们的教室很安静，就是有一点点热。

②在这儿住不错，就是有一点点远。

"一点点"和"一点儿"的用法与上面相同。例如：

The case is the same for "一点点" and "一点儿"，e. g.，

③ 再给我一点点时间就够了。

④ 她只喝了一点点，头就疼了。

练 习　Exercises

一、用括号里的词语加上"又……又……"回答问题：

Answer questions by combining the words in the brackets with "又……又……".

1. A：林福民普通话说得怎么样？

   B：（清楚　　流利）

2. A：小王的爱人会做饭吗？

   B：（快　　好）

3. A：老张为什么喜欢钓鱼（diàoyú, to go fishing）？

   B：（能吃新鲜〈xīnxiān, fresh〉的鱼　　能锻炼身体）

4. A：你中午怎么总是吃方便面（fāngbiànmiàn, instant noodles）？

   B：（省〈shěng, to save〉时间　　省钱）

5. A：李钟文最近怎么样？

   B：（要上班　　要学汉语）

二、用下边的词语说出合适的句子：

Make suitable sentences using the given words.

一	到星期天 喝啤酒 生气 有舞会 有人请吃饭	就	去钓鱼 想睡觉 去公园 参加 高兴

三、下边的事情都是小张今天做的，你可以选两件事用"一……就……"连起来。试一试，越多越好。

All the following things are done by Xiao Zhang. Connect two of them using "一……就……" to make a sentence. The more sentences，the better.

上课	下课	进教室	去图书馆
起床	坐下	去吃饭	吃完饭

四、用"动词＋得/不＋了"改写句子：

Rewrite each sentence using "verb＋得/不＋了".

1. 这么多菜，我吃不完。

2. 我的汉语水平不高，不能学 C 班的课本。

3. 我一个人不能拿这么多书。

4. 你能喝完 10 瓶啤酒吗？

5. 四川（Sìchuān, a province in Southwest China）菜很辣，我不能吃。

6. 这个箱子不重，我能拿。

五、用"动词＋得/不＋好/完/到……"完成句子：

Complete the following sentences using "verb＋得/不＋好/完/到……".

1. 他说话的声音太小了，我一点儿也_____。（听清楚）

2. 王老师说话既慢又清楚，_____。（听懂）

3. 我把钥匙（yàoshi, key）放在书包里了，可是_____。（找到）

4. 师傅，我明天要骑车去长城，_____？（修好）

5. 这本书太厚（hòu, thick）了，_____。（看完）

6. 这件衣服上有很多菜汤，_____？（洗干净）

六、用"这么"完成句子：

Complete the following sentences using "这么".

1. 你说得_____，我当然能听得懂。

2. 你说得_____，我一点儿也听不懂。

3. 这个东西_____，我当然能拿得了。

4. 这些东西_____，我拿不了。

5. 他骑车_____，半个小时一定到不了。

6. 老师给我们的作业_____，今天晚上一定做不完。

七、用本课的生词填空：

Fill in the blanks with the new words in this lesson.

1. 这些问题真让人_____。

2. 家里有_____的东西，妈妈总是先让孩子吃。

3. 在这儿生活一点儿也不_____，每个月要花很多钱。

4. 他最_____的中国歌是《月亮代表我的心》。

5. 我们学校里有树、有草、有花，_____很不错。

6. 这种葡萄酒的_____很特别。

7. 他在北京住了八年了，他的汉语说得很_____。

8. 林福民住在学校_____，每天走路来上课。

9. 我们楼里的服务员非常_____。

10. 他_____不知道，你告诉他吧。

会 话　　**Dialogue**

一、完成对话（林福民和他的朋友在饭馆里）：

Complete the dialogue.

林 福 民：咱们就在这儿吃吧，这家的饭菜_____。

林的朋友：行。我_____，还是你点吧。

林 福 民：这样吧，咱们_____问问服务员小姐，然后_____。

服 务 员：二位，吃点儿什么？

林 福 民：_____拿手菜，好吗？

服 务 员：_____。请问，辣的_____？

林 福 民：_____。不过，太_____就吃不了啦。

服 务 员：你们来一个_____吧，有一点点_____。

林 福 民：行。有没有不辣的？

服 务 员：_____不错，是_____味儿的，就是_____。

林 福 民：没关系。我爱吃_____。再来一个汤。

服 务 员：_____？

林 福 民：够了。我们就两个人，_____。

二、林福民和他的朋友谈这家饭馆和这儿的饭菜。

Talk about the dishes and the restaurant with your friend as if you were Lin Fumin.

第 3 课 Lesson Three
在校园里

生 词　New Words

1. 随便	形	suíbiàn	random
2. 转	动	zhuàn	to have a walk
3. 顺便	副	shùnbiàn	incidentally
4. 熟悉	动	shúxī	to get familiar with
5. 校园	名	xiàoyuán	campus
6. 原来	副、形	yuánlái	so
7. 怪不得	副	guàibude	that's why, no wonder
8. 印象	名	yìnxiàng	impression

9. 安静	形	ānjìng	quiet
10. 乱	形	luàn	messy
11. 扔	动	rēng	to throw
12. 烟头	名	yāntóu	cigarette butt
13. 少数	名	shǎoshù	minority
14. 头	名	tóu	end
15. 理发店	名	lǐfàdiàn	barbershop
16. 方便	形	fāngbiàn	convenient
17. 拐	动	guǎi	to turn
18. 健身房	名	jiànshēnfáng	gymnasium
19. 排	量	pái	row
20. 平房	名	píngfáng	single-storey house
21. 小卖部	名	xiǎomàibù	snack counter
22. 乐	动	lè	to laugh
23. 连锁店	名	liánsuǒdiàn	chain shop
24. 不但…而且…		búdàn…érqiě…	not only… but also…
25. 简单	形	jiǎndān	simple
26. 越来越…		yuè lái yuè…	more and more
27. 卡拉 OK		kǎlā OK	karaoke
28. 舞厅	名	wǔtīng	dance hall
29. 网吧	名	wǎngbā	Internet bar

课文　Texts

1

（爱珍看见李钟文一个人在散步……）

爱　珍：嗨，李钟文，你这是去哪儿？[1]

李钟文：哦，是爱珍呀。我随便转转，顺便熟悉一下校园。

爱　珍：原来是这样，怪不得这几天我经常看见你在校园里转。[2] 你对
　　　　校园的印象怎样？

李钟文：校园不太大；不过，环境很好，又安静又漂亮。

爱　珍：我也这样想，嗯……不过抽烟的人太多了，[3] 而且有的人乱扔
　　　　烟头。

李钟文：我不这样想。我觉得乱扔烟头的只是少数人。

爱　珍：走到头了。这个校园真小呀！

李钟文：确实不大，不过，我发现校园里书店、洗衣店、理发店什么的
　　　　都有，非常方便。[4]

2

爱　珍：李钟文，你知道邮局在哪儿吗？

李钟文：你看，那条路走到头，再往左一拐就是一个小邮局。

爱　珍：想不到你已经这么熟悉了！有没有健身房？

李钟文：你看那排红色的平房就是。一到下午就有很多人去那儿锻炼。

爱　珍：明天下午我也去看看。附近有没有商店？我说的不是小卖部。

李钟文：当然有。学校西门旁边有个"大家乐"连锁店，里边不但有吃
　　　　的、喝的，而且有穿的、用的，东西很全。[5]

爱　珍：今天跟你一起散步真不错！不但熟悉了校园，而且练习了我的
　　　　口语。我应该好好谢谢你。

李钟文：不用客气！那现在一起去吃晚饭吧，我们还可以边吃边谈。

3

　　以前中国大学生的学习生活非常简单，可以说是"三点一线"——从宿舍到教室、图书馆，从教室、图书馆到食堂，再从食堂到宿舍。可是，现在大学生的生活越来越丰富了，[6]卡拉OK厅、舞厅、健身房、网吧都是他们常去的地方。他们不但很会玩儿，而且学习也都非常努力。他们努力学习，为的是以后能找到一个好工作；[7]他们"努力"玩儿，是因为工作以后就没时间玩儿了。

注　释　　Notes

[1] 你这是去哪儿？

　　"（你）这是……"是问某人正在干什么时常用的句子。课文中这句话是爱珍看见了李钟文，她想了解李钟文要去哪儿。又比如：

　　"（你）这是……" is frequently used to inquire about what someone is doing. In the text, Aizhen meets Li Zhongwen and she asks this question in order to know where he is going, e. g.，

　　① 你这是画什么呢？

　　② 小王这是要做什么呀？

[2] 原来是这样，怪不得这几天我经常看见你在校园里转。

　　"原来……怪不得……"，"原来"引出表明原因的句子，"怪不得"引出曾经觉得奇怪的某种情况；表示说话人现在才明白出现某情况的原因，恍然大悟，不再觉得奇怪。例如：

"原来……怪不得……" is used to indicate that the speaker at last understands the reason why something has happened. The clause that indicates the reason is introduced by "原来" and the situation that one once wondered at is introduced by "怪不得", e. g. ,

① A：智子，爱珍病了，咱们去看看她吧。

B：（原来爱珍病了，）怪不得她今天没来上课呢。

② 原来他在法国住过，怪不得他这么了解法国的情况。

注意（NB）："原来……"也可以放在后边。例如：

"原来……" can also be placed after "怪不得……", e. g. ,

③ 怪不得你不知道，原来你昨天没去呀。

[3] 不过抽烟的人太多了……

"不过"，表示转折的连词，用在后一个分句。语气比"可是"、"但是"轻，多用于口语。例如：

"不过", a conjunction indicating transition, is used in the second clause. The tone of "不过" is weaker than that of "可是", "但是". "不过" is often used in spoken Chinese, e. g. ,

① 我听说过这个名字，不过不知道是谁。

② 白雪个子很小，不过跑得很快。

③ 这个菜味道不错，不过有一点点咸。

[4] 校园里边书店、洗衣店、理发店什么的都有，非常方便。

这里的"什么"不是问有什么东西，是表示不论什么，校园里都有。在表示这样的意思时，后边一般要有"都"或"也"。例如：

"什么" here is not used to ask what there is on the campus, but indicates that whatever one needs, it can be got on the campus. When "什么" is used in such a way, it is often followed by "都" or "也", e. g. ,

① 今天他去商店了，可是什么都/也没买。

② A：你觉得咱们什么时候去好？

B：随便，什么时候都行。

别的疑问代词，如"谁"、"哪儿"等也可以这么用。例如：

Other interrogative pronouns, like "谁", "哪儿", etc. can also be used in this way, e. g. ,

③ 谁都/也不知道李钟文去不去。

④ 哪儿都能买到这样的衣服。

⑤ 哪个书店都/也没有这种词典。

[5] 里边不但有吃的、喝的，而且有穿的、用的，东西很全。

在"不但……而且……"里，"而且"引出的分句所表示的意思要比前一分句所表示的更进一步或补充更多的信息。例如：

In the sentence pattern "不但……而且……", the meaning of the clause introduced by "而且" is further emphasized or the clause supplies more information，e. g.，

① 她不但喜欢唱歌，而且唱得很好。

② 我不但去过故宫，而且去过三次。

注意（NB）：上边两个例子里，主语在"不但"的前边，两个分句共一个主语。下边的两个例子里，前后两个分句的主语是不一样的，前一分句的主语要在"不但"的后边。例如：

In the example sentences above，the two clauses in a compound sentence share the same subject. So the subject should be placed before "不但". In the following example sentences the two clauses in a compound sentence have different subjects. Therefore，the subject of the former clause should be placed after "不但"，e. g.，

③ 不但他会说汉语，而且他爸爸、妈妈也会说一点儿汉语。

④ 不但图书馆里有空调，而且教室里、餐厅里也有。

[6] 现在大学生的生活越来越丰富了……

"越来越"表示程度随时间的推移而发展。例如：

"越来越" indicates that the degree becomes higher and higher as time passes，e. g.，

① 天气越来越凉快。

② 他说汉语说得越来越流利。

③ 有的东西越来越便宜，而有的东西越来越贵。

[7] 他们努力学习，为的是以后能找到一个好工作……

"为的是"和"是为了"一样，都是用来表示做一件事情的目的。例如：

Both "为的是" and "是为了" are used to indicate the aim of doing something, e. g. ,

① 大家现在努力工作，为的是以后生活得更好。

② 我这次来北京，为的是学好汉语。

③ 麦克努力工作，为的是挣更多的钱买房、买车。

练 习　　Exercises

一、**看图说话**（请用上"不但……而且……"）：

Talk about the picture using "不但……，而且……".

二、**下边的句子都不对，想一想应该怎么说：**

Correct the mistakes in the following sentences.

1. 智子不但知道了，而且别的同学也知道了。

2. 他不但唱得很好听，而且喜欢唱歌。

3. 不但李钟文会说日语，而且李钟文会说汉语。

4. 他今天不但做了作业，而且吃了饭。

5. 我不但想吃日本菜，而且不想吃辣的菜。

6. 李钟文和爱珍在饭馆里不但吃饭而且谈话。

三、用所给词语填空：

Fill in the blanks with the given words.

为的是　顺便　随便　原来　怪不得　不过　确实　为了

1. 他＿＿＿＿＿＿在一家公司工作，现在来这儿学习汉语。

2. 您别太客气了，＿＿＿＿＿＿点几个菜就行了。

3. 这件衣服真漂亮，＿＿＿＿＿＿有点儿大。

4. 今天的菜＿＿＿＿＿＿很好吃，大家都非常喜欢。

5. 他＿＿＿＿＿＿上课不迟到，每天 6：00 起床。

6. 这是他第四次来这个城市，这次来＿＿＿＿＿＿找工作。

7. ＿＿＿＿＿＿林福民口语这么好，＿＿＿＿＿＿他爸爸妈妈都说汉语。

8. 今天的课文一点儿也不难，＿＿＿＿＿＿看看就懂了。

四、用所给关联词完成句子：

Complete the sentences using the given structures.

　　一边……一边……　　　又……又……　　　先……然后……

　　不但……而且……　　　一……就……

1. 大家快坐下吧，＿＿＿＿＿＿吃＿＿＿＿＿＿说。

2. 他每天＿＿＿＿＿＿到晚上 10：00＿＿＿＿＿＿睡觉。

3. 孩子＿＿＿＿＿＿看见妈妈＿＿＿＿＿＿高兴得笑了。

4. 我＿＿＿＿＿＿给那个饭馆打电话订座位，＿＿＿＿＿＿再通知王老师。

5. 他＿＿＿＿＿＿告诉了同学，＿＿＿＿＿＿告诉了老师。

6. ＿＿＿＿＿＿我们班去了，＿＿＿＿＿＿别的班也去了。

7. 孩子看见妈妈来了，高兴得＿＿＿＿＿＿叫＿＿＿＿＿＿跳。

8. 他＿＿＿＿＿＿想去看电影，＿＿＿＿＿＿想去跳舞。

9. 李钟文＿＿＿＿＿＿有时间＿＿＿＿＿＿找中国朋友练习口语。

10. 你＿＿＿＿＿＿尝尝，＿＿＿＿＿＿再说好不好。

五、用疑问代词"什么/哪儿/谁"＋"也/都"完成句子：

Complete the sentences using interrogative pronouns "什么/哪儿/谁"＋"也/都".

1. ＿＿＿＿＿＿＿＿＿＿＿＿＿＿＿＿＿＿，就在家里做作业！

2. A：这几天谁看见小王了？

B：_____。

3. A：周末你想去什么地方？

    B：_____。

4. A：这件事你不要告诉别人，好吗？

    B：_____。

5. A：别客气！吃点儿什么？

    B：_____。

6. A：你打算什么时候去？

    B：_____。

7. A：买这件还是那件？

    B：_____。

8. 你在电话里说得太快了，_____。

六、用本课的生词填空：

Fill in the blanks using the new words in this lesson.

1. 我跟他只见过两次，对他不太_____。

2. 我们是第一次见面，不过她给我的_____很好。

3. 已经 12 点了，宿舍楼里非常_____。

4. 他的房间又小又_____，大家都不想去。

5. 我们都非常努力，不过有_____人不太努力。

6. 学习外语，没有词典不_____。

7. 以前学的课文比较_____，现在的有点儿难。

8. 我们宿舍楼里有个_____，买东西很_____。

会 话　　Dialogue

一、完成对话（刘刚来这个学校办事，想问去办公楼怎么走）：

Complete the dialogue.

刘刚：请问，_____？

  A：_____，我不是这个学校的，对这儿_____。

刘刚：请问，我要_____，您知道在哪儿吗？

  B：从这儿_____，看见一个红楼再_____，就_____。

刘刚：我顺便再问一下，您知道外事处在几层吗？

  B：对不起，_____。你到了办公楼_____。

刘刚：_____！

  B：_____！

二、完成对话（张英是这个学校的中国大学生，昨天她的中学同学李红从外地来北京玩，住在张英的宿舍。今天李红想去校园转转……）：

Complete the dialogue.

张英：李红，你_____吗？

李红：哦，没什么事儿，_____，顺便_____。

张英：_____，那我跟你一起去吧，_____你转转我们学校。

李红：_____！你先说说你们学校大不大吧。

张英：_____。你对我们学校的印象怎么样？

李红：我觉得_____。

张英：我也这样想，不过_____。

李红：我不这样想。我觉得_____。

张英：哟，_____，咱们拐弯吧。

李红：这个校园这么小，我看，_____。

张英：不对，这个校园里边_____。

李红：是吗？你给我说说。

张英：你看，_____……吃饭、买东西、取钱、理发……干什么都很方便。

第 4 课 Lesson Four
住的麻烦

生 词　　**New Words**

1. 换	动	huàn	to change
2. 习惯	名、动	xíguàn	habits；to be used to
3. 完全	副	wánquán	completely
4. 偏偏	副	piānpiān	contrary to one's expectations
5. 既	连	jì	both...（and）...
6. 同意	动	tóngyì	to agree
7. 精神	名、形	jīngshen	vitality；spirited
8. 临	动	lín	to be close to
9. 正	形	zhèng	straight；upright

10. 对	动	duì	to face
11. 弄	动	nòng	to make
12. 着	动	zháo	(used after a verb to indicate accomplishment or result)
13. 醒	动	xǐng	to wake up
14. 再说	动	zàishuō	to talk about it later
15. 空调	名	kōngtiáo	air-conditioner
16. 一直	副	yìzhí	until

课文　Texts

飞　龙：没想到，才来一个星期，你跟服务员就很熟了。[1]

李钟文：哪儿呀！我想请服务员帮我换个房间。

飞　龙：怎么了？你的房间有问题吗？

李钟文：不是。我跟我的同屋生活习惯完全不一样。

飞　龙：我想没什么关系吧，一个月以后学习就结束了。

李钟文：你不知道，晚上我睡觉的时候，他学习；下午我要学习的时候，他偏偏要睡觉！[2]

飞　龙：这确实得换。服务员同意给你换了吗？

李钟文：她既没说同意，也没说不同意，[3]只是说再等等。

2

左　拉：今天你怎么这么没精神？

爱　珍：嗨！天天睡不好，怎么能有精神？[4]

左　拉：怎么了？能说给我听听吗？

爱　珍：咱们的宿舍楼不是临街吗？[5]我的房间正对着公共汽车站。

左　拉：我知道了，是公共汽车弄得你睡不好觉。

爱　珍：没错。特别是我睡着后，一被弄醒了就再也睡不着了。[6]

左　拉：我看，你或者想办法换个房间，或者快点儿习惯新环境。[7]

爱　珍：再说吧。现在我得想办法好好睡一觉。

3

　　这几天天气热极了，热得人吃不好也睡不好。飞龙的房间里有空调，可偏偏这两天坏了，弄得他一直到夜里两三点才能睡着觉。走路、上课的时候，一点儿精神也没有。服务员说，今天就给他的房间换新空调。飞龙想，这下好了，今天晚上一定能睡个好觉。

注　释　　Notes

[1] 才来一个星期，你跟服务员就很熟了。

（1）副词"才"表示数量少。比如：

The adverb "才" indicates the quantity is small, e.g.,

① 他上大学的时候才 16 岁。

② 这件衣服才花了 50 块钱。

③ 他才学了三个月，就能上中级班了。

（2）副词"才"表示不容易做、时间长、事情发生得晚或结束得晚等。如：

The adverb "才" indicates that it is not easy or it takes a long time to do something, or something takes place/ends late, e.g.,

④ 他花了两个小时才做完今天的作业。

⑤ 老师说了三遍，我们才听懂。

注意下边的句子中两个"才"的意思差别：

Pay attention to the following sentence：

⑥ 我们坐出租车（taxi）去，才 20 分钟就到了；他们坐公共汽车（bus）去，坐了一个小时才到。

[2] 下午我要学习的时候，他偏偏要睡觉！

（1）副词"偏偏"表示事实与主观愿望不一样或者相反。如：

The adverb "偏偏" here means the fact is different from or contrary to one's wish，e. g.，

① 我昨天找了你好几次，你偏偏都不在。

② 我原来想明天去故宫，偏偏今天生病了。

③ 他今天起床很晚，去上课的路上偏偏自行车又坏了。

（2）副词"偏偏"还有一个意思，表示"只有"，"仅仅"，说明某种情况特别，有不满的语气。如：

"偏偏" also means "只有"，"仅仅"，denoting some special situation and implying dissatisfaction，e. g.，

④ 大家都到了，偏偏小王没来。

⑤ 别人用的时候都没问题，偏偏我用的时候坏了。

[3] 她既没说同意，也没说不同意……

汉语里用"既……也……"来连接并列的动词或动词短语，强调两种情况同时存在；并且后一部分表示进一步补充说明。例如：

In Chinese，"既……也……" is used to link coordinate verbs or verbal phrases. This pattern underlines the fact that two situations exist at the same time. The part after "也" gives further explanation，e. g.，

① 学习外语，既要练习听、说，也要练习读、写。

② 我的同屋既不会汉语，也不会英语。

③ 她既喜欢唱歌，也喜欢跳舞。

[4] 天天睡不好，怎么能有精神？

这是一个反问句，反问句不需要回答，是一种表示强调的方法。它的格式是：主语＋怎么/哪＋动词或动词短语。动词或动词短语是肯定的，这个句子强调的是否定

的意思；动词短语是否定的，句子强调的是肯定的意思。例如：

It is a rhetorical question. It doesn't need an answer and is a way to emphasize something. The structure is "subject＋怎么/哪＋verb or verbal phrase". When the verb is in the affirmative form, the sentence has the sense of negation; When the verb is in the negative form, the sentence has the sense of affirmation, e. g. ,

① 从来没有人告诉过我，我怎么/哪知道？（当然不知道）

② 这么忙，哪有时间啊？（没有时间）

③ 学外语怎么/哪能不说话啊？（应该说话）

④ 他怎么不知道？昨天他还对我说起过这件事。（他当然知道）

[5] 咱们的宿舍楼不是临街吗？

"不是……吗" 也是反问句式，表示肯定，有强调的意思。例如：

"不是……吗" is also a rhetorical question pattern, emphasizing an affirmation, e. g. ,

① 你不是来过这儿吗？

② 今天去或者明天去不是一样吗？

③ 那个电影你不是看过吗？为什么还要去看？

④ 这不就是你的书吗？

[6] 一被弄醒了就再也睡不着了。

"弄" 多用在口语里，意义、用法比较多，主要有：

"弄" is often used in spoken Chinese. It has numerous meanings and can be used in different ways. The followings are some important ones.

（1）做。可代替其他一些动词的意义。特别是不清楚、不好说或不必说的动作。如：

To do. It can be used to stand for other verbs, especially those that are unclear, difficult or unnecessary to speak out, e. g. ,

① 客人都来了，菜弄好了吗？（做）

② 你能把这瓶葡萄酒弄开吗？（打、开）

③ 她的新衣服被弄脏了。（？）

"弄＋得……"，使得。后边常常是一个句子。多用于不好的情况。如：

"弄＋得……"，meaning "to make". This structure is often followed by a sentence with a derogatory sense, e. g.,

④ 孩子的要求太多了，弄得爸爸妈妈不知道怎么办。

⑤ 他总是让别人听他的，弄得大家都不愿意跟他在一起。

(2) 想办法取得。如：

To try to get, e. g.,

⑥ 他从朋友那儿弄来两张电影票。

⑦ 咱们得先弄点儿钱。

（看看课文里的"弄"都是什么用法。）

(Please see how "弄" is used in the text.)

[7] **你或者想办法换个房间，或者快点儿习惯新环境。**

汉语里用"或者……，或者……"表示选择。注意：主语不同时，"或者"只能在主语前。例如：

The structure "或者……或者……" is used in Chinese to express choices. When the subjects in the two clauses are not the same, "或者" can only be used before the subjects, e. g.,

① 你或者今天下午来，或者明天上午来，都行。

② 今天晚上去看电影，咱们或者坐公共汽车，或者打车，随便。

③ 或者你来，或者我去，都行。

练 习　Exercises

一、在左右两组中各选一个词语用"既……也……"、"或者……或者……"连接起来：

Connect one of the phrases on the left column with one on the right using "既……也……" or "或者……或者……".

看电影	打球
吃中国菜	吃日本菜
星期一到	星期二到
学习经济	学习文学
没去上课	没去看病
同意爸爸的意见	同意妈妈的意见

自己用   送给别人

喜欢自己一个人玩儿   喜欢跟朋友一起玩儿

上班工作   做饭、洗衣服

喜欢玩   喜欢学习

二、用反问句改写句子：

Change the following sentences into rhetorical questions.

1. 你去过那个地方，你应该知道怎么走。

2. 你是美国人，应该知道乔治·华盛顿是谁。

3. 现在天天上班，一点儿时间也没有。

4. 别找了，你的书在这儿。

5. 他既没学过法语，也没去过法国，听不懂。

6. 我不知道，没有人跟我说过。

7. 你是来学汉语的，应该多说汉语。

8. 他从来没学过汉语，一点儿也不会。

三、用括号中的词语完成句子：

Complete the sentences using the words in the brackets.

1. 我给他打了好几次电话，可是_____。   （偏偏）

2. 昨天我去找你，_____。   （偏偏）

3. 大家都来了，_____。   （偏偏）

4. 他每天上课都带着词典，_____。   （偏偏）

5. 她一进来大家就看着她笑，_____。   （弄得）

6. 晚上 12:00 以后还有人大声说话，_____。 （弄得）

7. 我想看明天的比赛，你能_____吗？   （弄）

8. 周末我就去父母家吃饭，妈妈总是_____。 （弄）

四、选择下列词语填空：

Fill in the blanks using the given words.

弄错   弄脏   弄来   弄坏   弄干净   弄明白

1. 我不是飞龙，你_____了。

2. 不知道他从哪儿_____一只狗（gǒu, dog）。

3. 中午做饭的时候，_____了新衣服。

4. 小王_____了小李的录音机，小李非常生气。

5. 衣服上溅了些菜汤，还能_____吗?

6. 这个词的意思你_____了吗?

五、用 "才"、"就" 填空:

Fill in the blanks with "才" or "就".

1. 我今天 8:05 _____到教室，飞龙 7:50 _____到了。

2. 爱珍听了一遍_____听懂了，李钟文听了三遍_____听懂。

3. 昨天的作业我花了 20 分钟_____做完了。

4. 他走了 40 分钟_____走到。

5. 老师一说他_____明白了。

6. 小张说了半天我们_____明白他的意思。

7. 小张_____说了一句话，我们_____明白了。

8. 写昨天的作业我_____花了 20 分钟。

9. 这台空调_____用了两个星期_____坏了。

10. 我今天_____学会这个词的用法。

六、判断正误 (× / √):

Judge whether each sentence is right (√) or wrong (×).

1. 我一直不知道你是法国来的留学生。☐

2. 他希望能在北京一直住到明年。☐

3. 李钟文不一直在这儿学习汉语，9 月以后他要去天津。☐

4. 这件事一直他没告诉他的朋友。☐

5. 他从来在法国住，没有去过别的国家。☐

6. 他和他的女朋友从来不喝红葡萄酒。☐

7. 他希望从来不生病。☐

8. 20 多年了，我从来没见过这样的人。☐

9. 从早上到现在，我从来没吃东西。☐

10. 来这儿以前，他从来不吃辣的，现在他特别喜欢吃辣的了。☐

七、用本课的生词填空：

Fill in the blanks with the new words in this lesson.

1. 这家饭馆人太多了，咱们_____一家吧。

2. 你的想法很好，我_____同意。

3. 你穿这件衣服特别_____。

4. 我住的那个楼_____着一家电影院。

5. 我给你们_____了点儿吃的。

6. 左边的是你的，右边的是他的，别_____错了。

7. 已经8点了，快叫_____他。

会 话　　**Dialogue**

看图对话："你怎么了？"

Make a dialogue according to the picture.

第 5 课 Lesson Five
怎么去好

生 词　New Words

1.	差不多	副	chàbuduō	almost
2.	建议	动、名	jiànyì	to suggest; suggestion
3.	挤	形、动	jǐ	crowded; to crowd
4.	歇	动	xiē	to have a rest
5.	打（车）	动	dǎ（chē）	to take (a taxi)
6.	主意	名	zhǔyi	idea
7.	路	量	lù	route
8.	倒	动	dǎo	to change

9.	千万	副	qiānwàn	must be sure to
10.	堵(车)	动	dǔ (chē)	(traffic) jam
11.	市区	名	shìqū	downtown area
12.	沿途	名	yántú	along the road
13.	热闹	形	rènao	bustling
14.	邀请	动	yāoqǐng	to invite
15.	周末	名	zhōumò	weekend
16.	技术	名	jìshù	skill
17.	敢	助动	gǎn	to dare
18.	决定	动、名	juédìng	to decide; decision
19.	做客		zuò kè	to be a guest

专 名　Proper Names

1.	张英	Zhāng Yīng	(name of a person)
2.	季红	Jì Hóng	(name of a person)
3.	黄勇	Huáng Yǒng	(name of a person)
4.	香山	Xiāng Shān	the Fragrant Hill
5.	天坛	Tiāntán	the Temple of Heaven
6.	颐和园	Yíhé Yuán	the Summer Palace

课 文　Texts

1

张英：季红，今天咱俩去哪儿玩儿？

季红：有名的地方差不多都去过了，[1] 只有香山和天坛公园还没去。

张英：香山比天坛近一些，[2] 所以我建议今天去香山。

季红：行啊。那咱们怎么去呢？

张英：坐公共汽车或者骑自行车都行，你说吧。

季红：坐公共汽车太挤了。这几天我天天坐，已经坐腻了。[3]

张英：要是不想坐车，咱们就骑自行车去吧。[4]

季红：骑自行车去可能路有点儿远，而且还有山路。

张英：没关系，路上要是累了，咱们就停下来歇会儿。

季红：去可能没问题，回来的时候就很难说啦。

张英：回来的时候要是骑不动了，咱们就打车回来。

2

望月：明天星期六，咱俩去香山玩儿玩儿，怎么样？

爱珍：好主意。你说咱们怎么去呢？

望月：坐公共汽车吧。去香山坐几路车啊？

爱珍：我这儿有地图，咱们一起找找。

望月：啊，先坐375路到颐和园，然后再倒331，坐到头就到了。没想到这么方便。

爱珍：明天路上千万别堵车。[5] 上次去故宫，堵了差不多一个小时！

望月：那是因为故宫在市区，沿途都是热闹的地方，所以很容易堵车。[6]

3

飞龙认识了一个中国学生，叫黄勇，是北京人。黄勇邀请飞龙周末去他家里玩儿。去黄勇家坐公共汽车不太方便，得倒好几次车。可是飞龙骑自行车的技术不太高，所以他不敢骑车去。最后他决定打车去黄勇家做客。

注 释　　Notes

[1] 有名的地方差不多都去过了……

"差不多"表示相差很少，接近。例如：

"差不多" means that there is only a slight difference；be close to，e. g.，

① 咱们俩差不多高。

② 头发差不多都白了。

③ 今天差不多来了200人。

④ 季红差不多等了半个小时。

注意（NB）："差不多"也可以用在数量的前边。例如：

"差不多" can also be used before quantities，e. g.，

⑤ 教室里坐了差不多20人。

⑥ 差不多一半的同学都去过了。

[2] 香山比天坛近一些……

（1）介词"比"常用来表示比较，一般格式："A 比 B＋形容词＋C"。这里的 C 说明具体的差别，一般是数量短语或"得多"、"多了"、"一点儿"。例如：

The preposition "比" is often used to express comparison. The usual structure is "A 比 B＋adjective＋C". Here C indicates the specific difference, usually numeral－classifier compounds or "得多"，"多了" or "一点"，e. g.，

① 哥哥比弟弟大。

② 哥哥比弟弟大三岁。

③ 这种西瓜比那种便宜。

④ 这种西瓜比那种便宜得多。

⑤ 走路去比骑车去慢多了。

⑥ 走路去比骑车去慢半个小时。

注意（NB）：在形容词前边只可以用"还"、"更"等表示差别程度的副词，但不能用"很"、"非常"、"特别"等词语。如：

Before the adjective one can only use "还" or "更" to express the degree of the difference. One can't use "很", "非常" or "特别" etc., e.g.,

⑦（他的宿舍很干净，）我的宿舍比他的更干净。

⑧（姐姐挺漂亮，）妹妹比姐姐还漂亮。

（2）"比"还可以用在一些动词谓语句里，例如：

"比" can also be used in certain sentences with verbal predicates，e.g.，

⑨ 他比韩国人更喜欢吃辣的。

⑩ 爱珍比望月还想家。

注意（NB）：动词后有程度补语，"比＋B"可以用在动词前，也可以用在补语前。例如：

If a complement of degree goes after the verb， "比＋B" can be put before the verb or the complement，e.g.，

⑪ 今天李钟文比老师来得早。/今天李钟文来得比老师早。

⑫ 林福民比我说得流利。/林福民说得比我流利。

[3] 这几天我天天坐，已经坐腻了。

这里"腻"是指因次数多而对某件事厌烦，不想再做。例如：

"腻" here means that because one action has been repeated again and again， one doesn't feel like doing it any more，e.g.，

① 天天吃方便面，我都吃腻了。

② 这种电视剧我已经看腻了。

[4] 要是不想坐车，咱们就骑自行车去吧。

连词"要是"用在前一分句提出一种假设，后一分句说明在这种情况下会出现的结果，后边分句前常常有"就"或者"那"、"那么"等词语。例如：

The first clause where the conjunction "要是" is used gives a hypothesis, whereas the second clause makes it clear what would happen under the hypothesis. Before the second clause "就" or "那" or "那么" is often used，e.g.，

① 明天要是下雨，（那）我们就不去了。

② 昨天你要是来这儿，你就能看见他了。

③ 要是不想今天去，那（么）就明天去吧。

[5] 明天路上千万别堵车。

"千万"表示"必须"、"一定",多用在对人恳切叮咛或表示某种很强的希望时,后边一般是"要"或者是否定词语。例如:

"千万" indicating "must" or "be sure to" is often used when one exhort somebody earnestly or when one expresses a wish. It is usually followed by "要" or a negative expression,e. g. ,

① 明天的晚会你千万要来呀。

② 这事千万别忘了。

③ 对客人千万不能说这样的话。

④ 明天可千万别下雨。

[6] 那是因为故宫在市区,沿途都是热闹的地方,所以很容易堵车。

表示事件发生的原因和结果最常用的格式就是"因为……,所以……"。"因为……"表示原因,"所以……"表示结果。

The structure most often used in Chinese to express the reason why something happens and the result of something is "因为……所以……". "因为……" is used to indicate the reason,and the result is indicated by "所以……",e. g. ,

① 他因为感冒了,所以今天没来上课。

② 因为昨天晚上睡得很晚,所以他今天 8:30 才起床。

③ 因为教室里的空调坏了,所以同学们把窗户打开了。

④ 因为四川菜太辣,所以他不常去四川风味的饭馆吃饭。

注意 (NB): 前后两个分句主语相同时,主语可以在"因为"前,也可以在"所以"后,如上例①②;前后两个分句的主语不同时,主语要在"因为"、"所以"的后边,如上例③④。

If the two clauses share the same subject,the subject can be put either before "因为" or after "所以" as in Examples 1 and 2 above. If the subjects are not the same in the two clauses,the subjects should be put after "因为" and "所以" as in Examples 3 and 4 above.

练 习　Exercises

一、根据这张表互相提问，回答时最好用上"比"：

Ask each other questions about the chart and give answers using "比".

<table>
<tr><th>学生 A</th><th>学生 B</th></tr>
<tr><td>

● 1985 年中学毕业

● 学过英语、法语、日语、汉语、俄语

● 第一次来中国

● 每天晚上 12:00 睡觉、早上 6:00 起床

● 每天 7:50 到教室

● 每天除了上课，还学习 5 个小时

● 喜欢足球，踢得也很好

● 喜欢唱歌，能唱两首中国歌

● 自行车骑得不好，很慢

</td><td>

● 1990 年中学毕业

● 学过英语、德语、汉语

● 来过四次中国

● 每天晚上 11:30 睡觉、早上 7:00 起床

● 每天 8:00 到教室

● 每天除了上课，还学习 3 个小时

● 喜欢看足球，不踢

● 喜欢唱歌，会唱很多中国歌

● 骑自行车骑得又快又好

</td></tr>
</table>

二、完成下列句子：

Complete the following sentences.

1. 因为天气很热，＿＿＿＿＿＿＿＿＿＿＿。

2. 因为天气很热，＿＿＿＿＿＿＿＿＿＿＿。

3. 因为天气很热，＿＿＿＿＿＿＿＿＿＿＿。

4. ＿＿＿＿＿＿＿＿＿＿，所以他不想跟我们一起去。

5. ＿＿＿＿＿＿＿＿＿＿，所以他不想跟我们一起去。

6. ＿＿＿＿＿＿＿＿＿＿，所以他不想跟我们一起去。

三、完成句子（注意"要是"的用法）：

Complete the sentences paying attention to the usage of "要是".

1. 你要是看到他的话，_____。

2. 要是明天不热，_____。

3. 昨天你要是在这儿的话，_____。

4. _____，咱们就去游泳。

5. _____，他一定会帮你的。

6. _____，那咱们现在已经到上海了。

四、用下列连词改写句子：

Rewrite the sentences using the given conjunctions.

要是……，就……　　因为……，所以……　　不但……，而且……

1. 我前年去过了。这次我不想再去。

2. 我去过。别的同学也去过。

3. 这件衣服的颜色不好看。这件衣服很贵。

4. 我明天不能来。我给你打电话。

5. 天太热，我睡不着觉。

6. 我不喜欢。我不去。

7. 他来过北京。他来过三次北京。

8. 我买到了就送给你。

五、下列括号中的词语应该放在什么地方（可能不只一个答案正确）？

Where should the words in the brackets be placed (there can be more than one correct answer)?

1. 现在 A 街上 B 车多、人多，C 过马路的时候 D 要注意。（千万）

2. 爸爸、妈妈明天 A 要去开会，你 B 一个人 C 在家 D 要小心。（千万）

3. 这些书他 A 都 B 看过了，我只 C 看过 D 两本。（差不多）

4. 他 A 花了 B 75.57 块钱，我 C 花了 D 100 块钱。（差不多）

5. 他 A 晚上 B 一个人 C 开车 D 出去。（不敢）

6. 现在 A 天气 B 很冷，C 感冒 D。（容易）

六、用本课的生词填空：

Fill in the blanks with the new words in this lesson.

1. 老师_____我们先去故宫，然后再去北海公园。

2. 这么晚了，没有公共汽车了，你得_____回去。

3. 大家要是有好_____，请告诉我们。

4. 一下课，楼道里就非常_____，说话的、抽烟的、吃东西的都有。

5. _____的时候，我一般 9:00 起床，因为没有课。

6. 我没有_____他，他怎么也来了？

7. 现在的_____进步了，做的东西又好看又好用。

8. 张教授请我们去他家_____，我们_____星期日下午去。

会 话　　**Dialogue**

一、完成对话：

Complete the dialogue.

A：下午你_____？

B：看电影。现在有部新电影，据说很好看。_____？

A：好啊！在哪儿？离这儿远吗？怎么去？

B：你别这么着急。电影院离这儿_____，就是倒车不方便。

A：要是这样，那_____吧。

B：我也_____想，不过我骑车的技术_____。

A：没关系，咱们_____。

二、看图对话：

Make a dialogue according to the picture.

咱们去天坛吧？

怎么去呢？

要是坐公共汽车……

要是骑自行车……

要是打出租车……

第 6 课 Lesson six
做 客

生 词 | New Words

1. 伯父	名	bófù	uncle
2. 伯母	名	bómǔ	aunt
3. 巧克力	名	qiǎokèlì	chocolate
4. 品尝	动	pǐncháng	to taste
5. 添	动	tiān	to add
6. 麻烦	名、形、动	máfan	trouble; troublesome; to bother
7. 饱	形	bǎo	full

8. 如果	连	rúguǒ	if
9. 空儿	名	kòngr	free time
10. 了解	动	liǎojiě	to know
11. 称呼	动、名	chēnghu	to call; form of address
12. 家人	名	jiārén	family member
13. 礼物	名	lǐwù	a gift
14. 合适	形	héshì	suitable
15. 按照	介	ànzhào	according to
16. 叔叔	名	shūshu	uncle
17. 阿姨	名	āyí	aunt
18. 兄	名	xiōng	elder brother
19. 选择	动	xuǎnzé	to choose
20. 传统	名	chuántǒng	tradition
21. 其实	连	qíshí	in fact
22. 规矩	名	guīju	custom, ways of doing things
23. 礼貌	名、形	lǐmào	politeness; polite
24. 显得	动	xiǎnde	to seem

课 文   Texts

1

黄勇：爸，妈，飞龙来了。飞龙，这是我爸，这是我妈。

飞龙：伯父、伯母，你们好。

爸爸：欢迎欢迎，早就听黄勇说你要来。[1]快请进屋坐吧！

飞龙：我不知道带点儿什么好，这是我们法国的巧克力，请你们品尝品尝。

妈妈：谢谢！带什么东西呀！[2]你真是太客气了。

飞龙：伯父、伯母的身体都挺好吧？

妈妈：挺好的。你们谈，我做饭去。

飞龙：真不好意思，给您添麻烦了。

2

飞龙：时间不早了，我该回去了。

爸爸：再坐一会儿吧，明天是周末，没有课。

飞龙：不了，明天还有事。

妈妈：急什么呀，再吃点儿水果。

飞龙：不了，谢谢！今天我吃得太饱了。伯母您做的菜真的好吃极了。

妈妈：别客气。下星期六你伯父过生日，如果你有空儿，欢迎再来。[3]

飞龙：好的。我一定来。你们请回吧。再见。

爸爸：你慢走。再见。

3

如果你打算去中国朋友家里做客，那么你应该了解怎么称呼朋友的家人，带什么礼物合适。

按照中国人的习惯，对朋友的父母可以叫叔叔、阿姨或伯父、伯母，对朋友的兄弟姐妹可以叫名字。

送给中国人的礼物，可以选择传统的茶、酒、点心、水果，也可以选择鲜花、巧克力。

其实，[4]去中国人家里做客，没什么特别的规矩。[5]如果你又有礼貌，又显得像回到自己家一样随便，[6]主人一定会很高兴。

注 释　Notes

[1] 早就听黄勇说你要来。

这里的"早"强调动作行为的发生离现在已有一段时间，句尾常用"了"。例如：

Here "早" emphasizes that it's been some time since an action took place. "了" is often used at the end of the sentence, e. g. ,

① 这件事我们早知道了。

② 你的信我早收到了，可是一直没时间给你写回信。

"早"后常用"就"、"已"等词语，例如：

"就"，"已" is often used at the end of the sentence, e. g. ,

③ 他早就不在这儿住了。

④ 我早就跟你说过（了），可你还是忘了。

⑤ 东西早已准备好了，他一来咱们就走。

[2] 还带什么东西呀！

"什么"在这里表示否定的意思，意思是"不用带东西"。可以用在动词或形容词后。例如：

Here "什么" indicates a negation, meaning "no need of bringing gifts". It can be put after a verb or an adjective, e. g. ,

① 这是大人的事，你小孩子懂什么！

② 天气这么好，看什么电视呀，出去走走吧。

③ 大家都是朋友，你客气什么呀。

④ 你才 100 斤，胖什么呀；我才胖呢，都 130 斤了。

[3] 如果你有空儿，欢迎再来。

"如果"和"要是"一样表示假设，用法比"要是"正式。"如果"用在前一分句，后一分句说出结论、结果或提出问题，常用"那么"、"就"等呼应。例如：

"如果" introduces a hypothesis and has the same meaning as "要是". It is more formal than "要是". "如果" is used in the first clause, and a conclusion, a result or a question is given in the second clause with "那么" or "就" echoing "如果", e. g.，

① 如果你看见望月，就让她来找我。

② 如果你在书中仔细寻找，那么你一定能找到对你有用的东西。

③ 如果你不能改正错误，那你怎么进步呢？

[4] 其实，在中国人家里做客……

"其实"表示所说的情况是真的，有对上文做修正或补充的意思。用在谓语前或主语前。例如：

"其实" means that what one says is true. It is used when correcting or supplementing what has been said previously. It is put before the predicate or before the subject，e. g.，

① 以前我一直以为自己很笨，现在才发现，其实我很聪明。

② 来北京以后，他为了学习从来不看电视，其实看电视可以练习听力。

③ 大家只知道汤姆会踢足球，其实他篮球打得也很好。

[5] 没什么特别的规矩。

"什么"指不确指的人或事物，用在名词前。可以省去"什么"，意思不变。例如：

"什么" is used to refer to indefinite persons or things. It is used before nouns. One can omit "什么" without changing the meaning，e. g.，

① 最近没有什么新鲜事。

② 我没什么要说的了。

③ 我进去的时候，他们正在商量什么事情。

④ 你找老王有什么事吗？

[6] 又显得像回到自己家一样随便……

动词"显得"意思是表现出某种情况或状态。后边常用形容词、"比……＋形容词"等。例如：

"显得" is a verb meaning "to seem that...". After it, one often uses an adjective，"比……＋adjective"，e. g.，

① 妈妈穿这件衣服显得很年轻。

② 看见我们，他显得非常高兴。

③ 老董显得比以前瘦多了。

练 习　　Exercises

一、改写下边的句子（用"什么"表示否定）：

Change the following sentences using "什么" to indicate negation.

1. 你别急，丢了也没关系。

2. 这么近，不用坐车，走着就行了。

3. 车上没那么多人，你别挤。

4. 不年轻了，我已经五十了。

5. 我们是老朋友，不用谢。

二、用括号中的词语完成句子：

Complete the sentences using the words in the brackets.

1. 我一回家妈妈就给我包饺子吃，＿＿＿＿＿＿＿。　　　　（其实）

2. 望月说她的字写得不好看，＿＿＿＿＿＿＿＿。　　　　（其实）

3. 雨停了，＿＿＿＿＿＿＿＿＿＿＿＿＿。　　　　（显得）

4. 老年人穿这种颜色的衣服＿＿＿＿＿＿＿＿＿＿。　　　　（显得）

5. 王老师的儿子一见到我就喊"阿姨好"，＿＿＿＿＿＿。　　　　（显得）

6. 你怎么才知道呀？＿＿＿＿＿＿＿＿＿＿。　　　　（早就）

7. ＿＿＿＿＿＿＿＿＿＿＿，饭菜还没有准备好。　　　　（早就）

8. ＿＿＿＿＿＿＿＿＿＿＿，春节应该吃饺子。　　　　（按照）

9. 如果你＿＿＿＿＿＿＿，你的病一定能好。　　　　（按照）

10. ＿＿＿＿＿＿＿＿＿＿，学生不能在宿舍里喝酒。　　　　（按照）

三、用"如果……就/那么……"和下面的词语造句：

Make sentences using the given words and "如果……就/那么……" structure.

1. 下雨　　　　　　　　香山

2. 有好主意　　　　　　告诉大家

3. 想好了去哪儿　　　　去办公室报名

4. 来不了　　　　　　　打电话

5. 这些建议都不好　　　咱们再讨论讨论

6. 不复习　　　　　　　记不住

四、用本课的生词填空：

Fill in the blanks with the new words in this lesson.

1. 在北京的时候，大家都_____过很多中国的小吃。

2. 先吃吧，要是不够，再_____。

3. _____你帮我拿一下，好吗？

4. 这里的情况我们还不太_____，你先介绍一下。

5. 见到老师叫名字不_____。

6. 做这件事最_____的人是小王，不是小陈。

7. _____男朋友，不能太随便了。

8. 按照中国的_____习惯，年纪最大的人坐那儿。

9. 今天我收到了爸爸给我的生日_____。

10. 那个孩子又聪明又有_____。

五、用下边的词语说说，在你们国家去别人家做客时应该注意什么：

Tell us how to well behave when being a guest in your country. Try to use the words below.

按照　显得　如果　什么　其实　合适

麻烦　传统　不但　千万　差不多

会 话　　**Dialogue**

看图对话：

Make a dialogue according to the picture.

第 7 课 Lesson Seven
旅行计划

生 词　New Words

1. 旅行	动	lǚxíng	to travel
2. 计划	名、动	jìhuà	plan；to plan
3. 商量	动	shāngliang	to talk over
4. 除了…以外		chúle…yǐwài	except
5. 部分	名	bùfen	part
6. 草原	名	cǎoyuán	grassland
7. 景色	名	jǐngsè	scenery
8. 说实话		shuō shíhuà	frankly speaking

9. 游览	动	yóulǎn	to visit
10. 名胜	名	míngshèng	scenic spots
11. 古迹	名	gǔjì	historical site
12. 石窟	名	shíkū	grotto
13. 具体	形	jùtǐ	concrete
14. 报名	动	bàomíng	to enter one's name
15. 丰富	形	fēngfù	rich
16. 丰富多彩		fēngfù duōcǎi	rich and colorful
17. 组织	动	zǔzhī	to organize
18. 外地	名	wàidì	other places
19. 旅游	动	lǚyóu	to travel
20. 发	动	fā	to send out
21. 份	量	fèn	(a measure word)
22. 内容	名	nèiróng	content
23. 讨论	动	tǎolùn	to discuss
24. 自然	名、形	zìrán	nature; natural
25. 风光	名	fēngguāng	scenery
26. 武术	名	wǔshù	martial arts; *wushu*
27. 路线	名	lùxiàn	route
28. 兴趣	名	xìngqù	interest

专 名　Proper Names

1. 洛阳		Luòyáng	(name of a city)
2. 大同		Dàtóng	(name of a city)

3. 龙门石窟	Lóngmén Shíkū	Longmen Grottoes
4. 云冈石窟	Yúngāng Shíkū	Yungang Grottoes
5. 少林寺	Shàolín Sì	Shaolin Temple
6. 内蒙古	Nèiměnggǔ	Inner Mongolia

课 文　　Texts

1

李钟文：望月，你看《旅行计划》了吗？

望　月：看了，不过我还没想好去哪儿。[1]你想好了吗？

李钟文：我就是来找你商量的。我是第一次来中国。

望　月：可我除了去过几个南方城市以外，北方城市都没去过。[2]

李钟文：我们国家大部分地方都是山，我从来没见过大草原的景色，更
　　　　没骑过马。说实话，我对烤肉也很有兴趣。[3]

望　月：我知道了，你想去草原骑马、吃烤肉。行！你去哪儿，我就去
　　　　哪儿。[4]咱俩一起去。

2

黄　勇：你可以选两个地方，先去洛阳或者大同，然后再去草原。

飞　龙：好主意！这样既可以游览名胜古迹，又可以骑马看草原。[5]

黄　勇：洛阳、大同去一个就行了，你打算去哪儿呢？

飞　龙：当然是洛阳了。除了可以游览龙门石窟以外，还可以去少林寺。

黄　勇：说实话，如果我是你，我就去大同，春天的时候再去洛阳。

飞　龙：你说具体一点儿。[6]

黄　勇：大同的云冈石窟也非常有名，而且跟洛阳比，大同离北京比

　　　　较近。

飞　龙：你说的也对。对了，你刚才说春天去洛阳，为什么？

黄　勇：等你去了，你就知道了。[7]快去报名吧，除了你，其他人都报

　　　　名了。

3

　　为了让留学生的学习生活更加丰富多彩，学校要组织大家去外地
旅游，一共有三个地方：内蒙古草原、大同和洛阳。上星期办公室给
每个同学都发了一份《旅行计划》，向大家介绍游览内容和时间安排。
这几天同学们都在讨论去哪儿旅游。喜欢自然风光的想去草原；喜欢
古迹的想去大同；喜欢中国武术的想去洛阳。可是更多的人对三条路
线都有兴趣，不知道去哪儿好。

注　释　　Notes

[1] 不过我还没想好去哪儿。

　　"好"作结果补语，表示动作达到完善的地步。例如：

　　"好" is a complement of result used to indicate that an action has reached perfection, e.g.,

① 小红，今天咱俩去哪儿玩儿？你想好了吗？

② 你的衣服明天才能做好。

③ 这台空调能修好吗？

④ 大家坐好，现在上课了。

[2] 可我除了去过几个南方城市以外，北方城市都没去过。

　　"除了……（以外）"，介词短语。有两个用法：

The prepositional phrase "除了……（以外）" can be used in two ways:

（1）"除了 A（以外），B（都）X"，强调 B 都有 X 的情况，可是 A 是特殊的，没有 X 情况。有时强调 A 是唯一的，后边用"没有"。例如：

"除了 A（以外），B 都 X" is used to emphasize that B is in the situation of X, but A isn't. Sometimes this structure is used to emphasize A is the only one and "没有" is used in the main clause, e. g.，

① 除了他骑自行车去以外，我们都坐公共汽车去。
② 除了冬天冷一点儿以外，这儿的气候很不错。
③ 除了爱珍以外，没有人去过那个地方。

（2）"除了 A（以外），还/也 B"，表示有 A 情况，而且有 B 情况，A 是人们已知道的、比较一般的情况，B 是一般人不知道的、比较特殊的要补充的情况。例如：

"除了 A（以外），还/也 B" means besides the situation A there is also situation B. A refers to something everybody knows or something quite common，whereas B usually refers to something people don't know or something quite special，e. g.，

④ 我们这儿除了中文书以外，还有外文书。
⑤ 小明除了爱吃肉，也爱吃蔬菜。
⑥ 除了她以外，还有两个同学也说错了。

[3] 说实话，我对烤肉也很有兴趣。

这里的"说实话"是插入语，表示说话人让听的人注意他说的是真的、是重要的。与"说实话"意义和用法相同的还有"说真的"等。例如：

Here，"说实话" is a parenthesis expressing the idea that the speaker wants to convince the listener that what he said is true and important. "说真的" has the same meaning，e. g.，

① 说真的，你要是喜欢她，我可以给你介绍介绍。
② 说实话，我确实想帮你，可现在……

[4] 你去哪儿，我就去哪儿。

前一小句或短语表示后一小句或短语的条件、范围。第一个句子里的"哪儿"是任指的，第二个"哪儿"所指对象随第一个而定。两个"哪儿"指的是同一个对象。其他的疑问代词也可以这么用。例如：

The first clause or phrase indicates the condition or scope of the second clause or phrase. In this sentence, the first "哪儿" refers to any place, whereas the place referred to by the second one is determined by the first. The two "哪儿" refer to the same place. All the other interrogative pronouns can be used in this way, e. g. ,

① 哪儿好看，咱们就去哪儿。

② 哪个商店的东西又好又便宜，哪个商店的人就多。

③ 他想怎么办就怎么办，从来不听我们的。

④ 谁愿意去谁去。

⑤ 你买什么，我们就吃什么。

⑥ 你什么时候有空儿，我就什么时候来。

[5] 这样既可以游览名胜古迹，又可以骑马看草原。

"既……又……" 表示同时具有两个方面的性质或情况，前后的结构常相同。例如：

"既……又……" means that two characteristics or two situations exist at the same time and the former clause and the latter clause are often the same in structure, e. g. ,

① 他既不懂英语，又不懂汉语，我们在一起没办法谈话。

② 飞龙既聪明又努力，是个好学生。

③ 这些水果既便宜又好吃，你可以多买点儿。

"既……也……" 和 "既……又……" 差不多，语气上没有 "既……又……" 强，"也" 后表示的是进一步补充说明。

"既……也……" is similar to "既……又……" except that the tone of "既……也……" isn't as strong as that of "既……又……" and the content after "也" gives a further explanation.

"既……又/也……" 与 "又……又……" 的比较：

Comparison of "既……又/也……" and "又……又……":

④ 晚会上大家又说又笑。(可以用单音节动词)

⑤ ＊ 晚会上大家既说又/也笑。

⑥ 你猜的又对又不对。(可以用正反形式)

⑦ ＊ 你猜的既对又/也不对。

[6] 你说具体一点儿。

结果补语是说明动作结果的，我们以前的课文已经学了（数字为课号）：一、猜对了/二、去晚了/四、吃不好也睡不好/五、坐腻了。除了这些，再如：

The complement of result explains the result of an action, e. g. , "猜对了" (Lesson 1), "去晚了" (Lesson 2), "吃不好也睡不好" (Lesson 4) and "坐腻了" (Lesson 5). Besides, we also have the following examples：

① 我没听懂你说的话。

② 他说错了一句话。

③ 这东西不能放在桌子上。

[7] **等你去了，你就知道了。**

"等"后边如果跟着一个动词短语或句子，意思是"等到……的时候"或"等到……以后"，后边的句子里常有"就"、"再"呼应。例如：

If "等" is followed by a verbal phrase or a sentence, it means "等到……的时候" or "等到……以后". In the second clause "就" or "再" is often used, e. g. ,

① 等他说完了你再说。

② 等写完作业我就去。

③ 等你长大了就明白为什么了。

它的否定形式为："没等……"、"不等……"。例如：

Its negative form is "没等……" or "不等……", e. g. ,

④ 没/不等我们坐好，客队就进了一个球。

⑤ 没/不等电影结束，很多人就走了。

练 习　　Exercises

一、**看图说话**（用上"除了……以外"）：

Talk about the picture using "除了……以外".

二、用"什么/哪儿/……，什么/哪儿/……"完成对话：

Complete the dialogues using "什么/哪儿/……，什么/哪儿/……".

1. A：我星期六去长城，你呢？

   B：_____。

2. A：今晚去哪儿吃？

   B：_____。

3. A：你买哪种？

   B：_____。

4. A：学校的运动会，你参加吗？

   B：_____。

5. A：你打算怎么做？

   B：_____。

6. A：你喝点儿什么？

   B：_____。

三、在空格上填上恰当的结果补语：

Fill in each blank with proper complement of result.

1. 如果想学_____汉语，就要注意学习方法。

2. A：你听_____了吗？

   B：我听_____了，可是我没听_____。

3. 这个练习不难，我们都做_____了。

4. 这本书不是老师说的那种，你买_____了。

5. 我的自行车还没修_____呢。

6. 昨天我学了一首新歌，不过我还没学_____。

7. 他做_____作业，就打_____电视，看了一会儿电视。

8. 昨天我收_____爸爸妈妈写_____我的信。

四、判断正误，注意表示关联的连词的用法（ √／× ）：

Judge whether the following sentences are correct（√）or wrong（×），paying attention to the usage of correlatives.

既……又……　　　又……又……　　　既……也……

1. 这个品种的西瓜既大又甜。　　　　　　　　　　　☐

2. 我还有别的事情，咱们又走又说吧。 □

3. 他既当老师，也当学生。 □

4. 你这么做，既好也不好。 □

5. 她又要工作，又要做家务。 □

6. 毛笔既能写字，又能画画儿。 □

五、用"除了……（以外）"改写句子：

Rewrite the sentences using "除了……（以外）".

1. 骑自行车既能锻炼身体，又能省钱。

2. 王刚去过日本，也去过欧洲。

3. 来北京可以游览名胜古迹，还可以吃北京小吃。

4. 我们班马力去大同，别人都去洛阳。

5. 刘艳学过英语，没学过别的外语。

6. 望月这几天在宿舍学习，哪儿也不去。

六、用本课的生词填空：

Fill in the blanks with the new words in this lesson.

1. 这条_____坐火车比坐飞机方便。

2. 现在很多人喜欢_____。

3. 这次来北京，我们_____了很多地方。

4. 学校里的生活很_____，你应该多参加些活动。

5. 这件事别着急作决定，再找几个人_____一下。

6. 日本和美国的代表_____了两国的合作问题。

7. 这次旅行，一_____人去大同，一_____人去洛阳。

8. 没想到他对电影一点儿_____也没有。

9. 他写了一份内容具体的工作_____。

10. 以前这个地方的_____环境不太好，现在可大不一样了。

会 话　　**Dialogue**

完成对话：

Complete the dialogue.

A：你打算在哪儿请客？

B：＿＿＿＿＿＿＿。您觉得哪儿好？

A：如果＿＿＿＿＿＿，就去学校门口的四川饭馆。

B：我今天对辣的不太感兴趣，想吃清淡的。

A：＿＿＿＿＿＿，那就去西单的日本饭馆吧。

B：学校附近不是也有几家日本饭馆吗？

A：＿＿＿＿＿＿，但是＿＿＿＿＿＿。

B：＿＿＿＿＿＿，我再想想。

A：今天你除了＿＿＿＿＿＿，还请谁了？

B：除了＿＿＿＿＿＿，差不多都请了。

第 8 课 Lesson Eight
生活服务

生词 New Words

1. 光临	动	guānglín	to come
2. 师傅	名	shīfu	respectful form of address for skilled men
3. 真丝	名	zhēnsī	genuine silk
4. 化纤	名	huàxiān	chemical fiber
5. 颗	量	kē	(a measure word)
6. 扣子	名	kòuzi	button
7. 缝	动	féng	to sew
8. 稍微	副	shāowēi	a bit, a little
9. 毛病	名	máobìng	problem

10.	打气		dǎ qì	to pump up
11.	这会儿	名	zhèhuìr	now
12.	轮胎	名	lúntāi	tyre
13.	瘪	形	biě	flat
14.	趟	量	tàng	(a measure word)
15.	耽误	动	dānwu	to delay
16.	调	动	tiáo	to adjust
17.	闸	名	zhá	brake
18.	行业	名	hángyè	industry
19.	发展	动	fāzhǎn	to develop
20.	竞争	动	jìngzhēng	to compete
21.	厉害	形	lìhai	fierce
22.	的确	副	díquè	really
23.	档	名	dàng	grade
24.	小心	形、动	xiǎoxīn	careful；to be careful
25.	糟	形	zāo	terrible

课文　Texts

师傅：你好，欢迎光临！

爱珍：你好，我洗几件衣服。

师傅：好的。这两件衬衫是真丝的，这条裤子是化纤的，这条裙子也是
　　　真丝的，一共四件。放这儿吧。

爱珍：师傅，什么时候取？

师傅：一般三天之后取，急着穿的话，两天也行。[1]

爱珍：能不能再快点儿？特别是那条裙子，我明天中午就要穿。[2]

师傅：这样的话，每件衣服再多加五块钱。

爱珍：好吧，我明天中午来取。对了，这两颗扣子快要掉啦，麻烦您缝
　　　一下，好吗？[3]

师傅：好的，没问题。

2

飞龙：师傅，麻烦您帮我看看这辆车。

师傅：您稍微等一下，这就来。[4]什么毛病？

飞龙：上午刚打的气，这会儿轮胎又瘪了。

师傅：急着用吗？[5]

飞龙：现在没什么事。不过，下午四点我得出去一趟。[6]

师傅：行，你四点之前来吧，耽误不了。

飞龙：太好了。麻烦您顺便帮我调一下闸。

师傅：你这后闸是得修了，一点儿也不灵了。

3

　　北京的服务行业这些年发展很快，竞争得也很厉害。不过，老百
姓的生活的确方便多了。[7]就拿吃饭来说吧，[8]有高档的大酒店，也有
中低档的饭店。如果你愿意的话，有时还可以花几块钱在路边的小饭
馆吃饭，既便宜又方便。不过，你千万要小心，有的小饭馆卫生条件
不太好，要是吃坏了肚子，那就糟啦。你说是不是？

注 释　　Notes

[1] 急着穿的话，两天也行。

"……的话"，假设复句的又一种形式，它前边可以有"如果"、"要是"、"假如"等表示假设的词。口语常用。例如：

"……的话" is another form of hypothetical compound sentences. Before it one can use "如果"，"要是" or "假如". "……的话" is often used in spoken Chinese, e. g. ,

① 你去不了的话，可以让别人去。

② 做这个工作不认真的话，就会出错。

③ 如果吃中药有效的话，就不用做手术了。

④ 要是你不相信的话，那就算了。

[2] 特别是那条裙子，我明天中午就要穿。

"特别是"用于从同类事物中提出最突出的部分进行说明。后边常用名词或动词。例如：

"特别是" is used to introduce the most prominent one in a category. A noun or a verb is often used after it, e. g. ,

① 我们班同学进步都很快，特别是望月。

② 今年情况比较好，特别是农民们学会了科学种田，粮食产量比去年增加了三分之一。

③ 我不喜欢做饭，特别是包饺子，麻烦死了。

[3] 麻烦您缝一下，好吗？

"下"是量词，"一下"常用在动词后边作动量补语。表示动作的时间短或做事轻松。例如：

"下" is a measure word and "一下" is often used after a verb as a complement of frequency, meaning that the time that an action takes is short or that it's easy to do something, e. g. ,

① 下课以后请大家复习一下今天的生词和语法。

② 这本书我看了一下，很有意思。

③ 这首歌很简单，你稍微练一下就会唱了。

[4] 您稍微等一下，这就来。

"稍微" 表示数量不多或程度不深。

"稍微" means that the quantity is small or the degree is low.

（1）稍微＋动词。动词常重叠，或它前边有副词 "一"，或后边有 "一会儿"、"一些"、"一下" 等。例如：

"稍微＋verb". The verb is often reduplicated，or there is the adverb "一" going before it or "一会儿"，"一些" or "一下" going after it，e. g.，

① 老师马上就来，你们稍微等一等。

② 这个书包的带子不结实，稍微一用力就断了。

（2）稍微＋形容词/动词＋一点儿/一些。例如：

"稍微＋adjective/verb＋一点儿/一些"，e. g.，

③ 我比她稍微高一点儿。

④ 最近老董的身体稍微好一些了。

⑤ 往汤里稍微加一点儿盐，味道会更好。

（3）稍微＋不＋形容词/动词。常用的词有 "注意"、"小心"、"留神" 等，后边用 "就" 引出结果。例如：

"稍微＋不＋adjective/verb". The adjectives and verbs often used in this structure are "注意"，"小心"，"留神"，etc.. "就" is often added to indicate the results，e. g.，

⑥ 路很滑，稍微不小心就会摔倒。

⑦ 汉语的虚词比较复杂，稍微不注意，就可能用错。

[5] 急着用吗？

"急着＋动词"，意思是很着急地做某事。动词是 "急着" 的目的。例如：

"急着＋verb" means that one anxiously wants to do something. The verb is the aim of "急着"，e. g.，

① 早上我急着去教室，忘了带钥匙。

② 别急着走啊，再坐会儿。

③ 他一进门就急着问："你看见老王了吗?"

注意 (NB)："笑着回答"、"坐着上课" 等与此不同。它们的意思是 "回答的时候在笑"、"上课的时候坐在那里"。

"笑着回答" and "坐着上课" are different cases. Their meanings are "smiling while answering" and "sitting when having a class".

[6] 下午四点我得出去一趟。

这里的"趟"是动量词，用于表示一去一来的动作，一去一来就是一趟，与数词一起作动量补语。例如：

Here"趟" is a verbal measure word. It is used to express one coming and going. Together with a numeral, they function as a complement of frequency, e. g. ,

① 昨天李钟文去了一趟电子市场。

② 周末我打算回一趟家。

③ 我找了飞龙三趟，他都不在。

[7] 老百姓的生活的确方便多了。

"形容词＋多了"意思是相差的程度大，表示变化或比较。例如：

"Adjective＋多了" means that the difference is big. It expresses a change or a comparison, e. g. ,

① 这孩子比以前胖多了。

② 有他参加，我们的晚会就热闹多了。

③ 跟大商场比，自由市场的东西便宜多了。

注意 (NB)：这种句子里，常说出比较的对象。如果没有说，则比较的对象一般是说话人、听话人都知道的。例如：

In this kind of sentences, there often goes the object that is being compared. If the object is not mentioned, it is generally something both the speaker and the listener know, e. g. ,

A：怎么样了？

B：好多了。（比较的对象是"上次"或"昨天"等）

[8] 就拿吃饭来说吧……

"拿……来说"是用来举例说明自己所说的情况是真实的，看法是正确的。"拿……来说"中间可以放名词、名词性词组或动词性词组。例如：

"拿……来说" is a common way to give an example to illustrate what was said is true or correct. One can put a noun, a noun phrase, or a verbal phrase between "拿" and "来说", e. g. ,

① 我们班每个人都有自己的爱好，拿李钟文来说吧，他是个电脑迷。

② 不同地方的人有不同的口味，拿陕西人来说，就喜欢吃酸辣的。

③ 现在一家人都听孩子的，拿看电视来说，孩子要看什么大人们就得看什么。

练 习　Exercises

一、看图说话（用上"……的话"）：

Talk about the pictures using "……的话".

1

2

3

4

5

二、用"特别是"完成对话：

Complete the dialogues using "特别是".

1. A：你们这儿是不是经常下雨？

   B：对，＿＿＿＿＿＿＿＿＿＿＿＿。

2. A：我发现望月他们班的同学都特别喜欢打球。

   B：是的，＿＿＿＿＿＿＿＿＿＿，各种球都会打。

3. A：这个饭馆的菜味道太重了。

   B：嗯，＿＿＿＿＿＿＿＿＿＿，又咸又辣。

4. A：你是用什么办法减肥的？

   B：每天多吃蔬菜，少吃主食，＿＿＿＿＿＿＿＿＿＿＿。

三、用括号中的词语完成句子：

Complete the sentences with the words in the brackets.

1. 我们学校的生活很方便，＿＿＿＿＿＿＿＿。　　　　　（拿……来说）

2. 飞龙觉得汉语很难，＿＿＿＿＿＿＿＿。　　　　　　　（拿……来说）

3. 开车的时候一定要小心，＿＿＿＿＿＿＿＿。　　　　　（稍微）

4. 这篇作文写得不错，只是有些小问题，＿＿＿＿＿＿＿＿。（稍微）

5. 那家超市里的东西＿＿＿＿＿＿＿＿。　　　　　　　　（多了）

6. 李钟文早上一起床＿＿＿＿＿＿＿＿。　　　　　　　　（急着）

7. ＿＿＿＿＿＿＿＿，最好去医院看看。　　　　　　　　（厉害）

8. 这两天他请假陪他爱人去旅游，＿＿＿＿＿＿＿＿。　　（耽误）

四、选择动量补语完成句子（一次　一趟　一下）：

Choose the correct complement of frequency to fill in each blank.

1. 啊呀，没有盐了，老王你跑＿＿＿＿＿＿，买一包盐来。

2. 我只见过安娜＿＿＿＿＿＿。

3. 请你解释＿＿＿＿＿＿这个词的意思。

4. 那儿交通不方便，回去＿＿＿＿＿＿挺不容易的。

5. 好，我买了，麻烦您给包＿＿＿＿＿＿吧。

五、用本课的生词填空：

Fill in the blanks with the new words in this lesson.

1. 本店今天开业，欢迎朋友们＿＿＿＿＿＿。

2. 老董从来不抽高＿＿＿＿＿＿烟。

3. 这几年北京的旅游业_____得很快。

4. 爱珍刚才还又说又笑呢，_____怎么哭起来了？

5. 有 1000 个毕业生报名参加这次考试，_____得很厉害。

6. 师傅，您看看我的手表出什么_____了，怎么不走了？

7. 你的裙子是_____的吧？真漂亮。

8. 这辆车两个轮胎都_____了，该_____了。

会 话　　**Dialogue**

完成下边的对话：

Complete the dialogue.

A：师傅，您看看_____。

B：这洗衣机怎么了？

A：_____。

B：放这儿吧。

A：要多少钱？

B：我看了以后_____。

A：_____？

B：一个星期吧。

A：能不能快点儿？_____。

B：你想快点儿的话，_____。

A：行，可是别太贵了。

B：要是比买新的还贵的话，_____。

第 9 课 Lesson Nine
北京的市场

生词 New Words

1. 电脑	名	diànnǎo	computer
2. 迷	名、动	mí	fan; to be infatuated with
3. 没错		méi cuò	quite right
4. 从小	副	cóngxiǎo	from childhood
5. 软件	名	ruǎnjiàn	software
6. 电子	名	diànzǐ	electron
7. 市场	名	shìchǎng	market
8. 逛	动	guàng	to have a walk
9. 正好	副	zhènghǎo	just

10.	鼠标	名	shǔbiāo	mouse
11.	路口	名	lùkǒu	intersection
12.	现代	名	xiàndài	modern
13.	硬件	名	yìngjiàn	hardware
14.	讲价(钱)		jiǎng jià(qian)	bargain
15.	自由	形、名	zìyóu	free；freedom
16.	生活	名、动	shēnghuó	life；to live
17.	用品	名	yòngpǐn	necessities
18.	受	动	shòu	to be subjected to
19.	骗	动	piàn	to cheat
20.	要不	连	yàobù	or else，otherwise
21.	陪	动	péi	to accompany
22.	瞧	动	qiáo	to take a look
23.	不用	副	búyòng	no need
24.	不如	动、连	bùrú	be not as good as
25.	货	名	huò	goods
26.	超市	名	chāoshì	super market
27.	各种各样		gè zhǒng gè yàng	all kinds of
28.	文化	名	wénhuà	culture

专 名 Proper Name

| 中关村 | | Zhōngguāncūn | (name of a place) |

课 文　Texts

1

黄勇：听说你是个电脑迷，是真的吗？

飞龙：没错。我从小就特别喜欢玩儿电脑。对了，我想买中文软件，你说去哪儿买好？

黄勇：离这儿不远有个叫中关村的地方，那儿有不少电子市场。你可以去那儿逛逛。

飞龙：中关村在哪儿？去那儿怎么走？

黄勇：要不，这样吧，[1] 我下午正好要去买个鼠标，[2] 我们一起骑车去吧。

（在去中关村的路上）

黄勇：到前边的路口往右拐，再骑100多米就到了。[3]

飞龙："北京现代电子市场"。这儿真大呀！

黄勇：这个市场里既有硬件，又有软件。咱们先到二层去看看软件吧。

飞龙：好。等一会儿我想请你帮我跟他们讲价，可以吗？

2

A：听说附近新开了个自由市场，卖的都是日常生活用品。[4]

B：你是不是又想花钱了？

A：自由市场东西便宜，还能讲价，花不了多少钱。

B：在自由市场买东西可能会受骗。

A：那可不一定，要不你陪我去瞧瞧。

B：你不用去了，[5]我去过了，那儿的东西真不如大商场的好。[6]

A：这我知道，一分价钱一分货嘛。

B：我看，你今天又要花钱买没用的东西了。

3

现在在北京生活越来越方便了，比如买东西吧，有大商场，有超市，有小商店，还有就是各种各样的自由市场了。北京的自由市场既有卖吃穿用等生活用品的，又有卖文化用品的。在自由市场里买东西，常常要讲价。不过，不是每个人都会讲价。怎么才能学会讲价呢？我想，让别人教，不如自己去试试。

注 释　Notes

[1] 要不，这样吧……

（1）"要不"，意思是"如果不这样"，表示对前边说过的情况做假设的否定，引出假设的结果。口语常用。例如：

"要不"，meaning "otherwise", is used when making hypothetical negation about what was said previously and then giving the result under that hypothesis. It is often used in spoken Chinese, e.g.,

① 这么晚了，赶快回家吧，要不家里会不放心的。（如果不赶快回家）

② 赶快走，要不就赶不上火车了。（如果不赶快走）

③ 你来接我太好了，要不我一个人怎么拿这些行李呀？（如果你不来接我）

（2）表示选择。口语中常用来提出建议。例如：

Expressing choices. It is often used to make suggestions in spoken Chinese, e.g.,

④ 要不七块（钱）吧，我买俩。

⑤ 吃饺子太麻烦了，要不吃面条吧。

⑥ 已经十二点了，要不你今天就住在我家吧。

[2] 我下午正好要去买个鼠标……

"正好"表示事情、时间、数量、位置、尺寸等非常合适。例如:

"正好" expresses that the situation, time, quantity, position or size, etc. is very suitable, e. g. ,

① 我想找个人陪我去逛逛商店,正好你来了。

② 老王走进办公室的时候正好八点。

③ 您看,不多不少,正好两斤。

④ 李钟文坐在操场旁边看书,一个篮球正好打在他头上。

⑤ 43号的鞋,我穿正好。

[3] 再骑100多米就到了。

"多"用在数词或量词后,表示概数。

When "多" is used after a numeral or a measure word, it indicates an approximate number.

① 我们已经学了一百多个生词了。

② 这个大教室放得下五十多张桌子。

③ 老董吃涮羊肉,一顿能吃二斤多。

④ 我坐了十三个多小时火车才到哈尔滨。

⑤ 今年的产量比去年增加了一倍多。

[4] 听说附近新开了个自由市场,卖的都是日常生活用品。

"听说"意思是"听别人说",说明确定或不确定的消息来源。例如:

"听说" means "听别人说" (told by others) and expresses definite or indefinite source of the news, e. g. ,

① 听说这家商店正在大减价,咱们去看看吧。

② 这个周末有很多电影明星要来咱们学校,你听说了吗?

[5] 你不用去了……

"不用"有"别"、"不要"、"不必"或"不需要"的意思,表示没有必要。例如:

"不用" has the same meaning as "别", "不要", "不必" or "不需要". It expresses that there is no need to do something, e. g. ,

① 我自己的事不用别人管。

② 你不用为了这么一点儿小事生气。

③ 我们这儿人手已经够了，不用请人帮忙了。

④ 书我已经买到了，你不用帮我借了。

注意（NB）： 这里的"用"一般不用于肯定句，常用在问句或反问句里。例如：

This usage of "用" does not usually apply to affirmative sentences, but often to interrogative or rhetorical questions, e. g.,

⑤ 在走以前，我用不用给你打电话？

⑥ 这还用说？我一定帮你办！

[6] 那儿的东西真不如大商场的好。

"不如"用于比较。有两种基本格式：

"不如" is used to express comparison. There are two basic structures：

（1）"A 不如 B"。A、B 可以是代词、名词、动词或短语，意思是"B 比 A 好"。例如：

"A 不如 B" means that "B is better than A". A and B can be pronouns, nouns, verbs or phrases, e. g.,

① 他们班不如我们班。

② 他们的不如我的。

③ 奶奶的身体不如以前了。

④ 去近的地方，坐车不如骑车。

（2）"A 不如 B＋形容词/动词/动词短语"。例如：

"A 不如 B＋adjective/verb/verbal phrase", e. g.,

⑤ 骑车不如坐车快。

⑥ 这个学期的学生不如上个学期多。

⑦ 这篇作文不如那篇写得好。

⑧ 今天的菜炒得不如昨天好。

练 习　Exercises

一、用"要不"完成句子：

Complete the sentences using "要不".

1. 学习外语要学了就用，_____。

2. 上课别迟到，_____。

3. 学习汉语一定要学好发音，_____。

4. 有不明白的地方一定要问，_____。

5. 晚上早点睡，_____。

二、用"不如"说句子：

Rewrite or complete the sentences using "不如".

例句：小王1米75，小李1米72。━➤ 小李不如小王高。

1. 李钟文唱歌唱得很好，飞龙唱歌唱得一般。

2. 这种西瓜甜，那种不太甜。

3. 爱珍是班里说汉语最流利的学生。

例句：今天不如昨天凉快。

1. 今天没课，在宿舍睡觉_____。

2. 以前中国人认为女孩儿_____，所以很多地方的人都喜欢生男
   孩儿。

3. 我觉得北海公园的风景_____。

三、选择词语填空：

Choose the correct word to fill in each blank.

1. 他被那儿美丽的景色迷_____了。　　　　　（住　好　上）

2. 现在很多孩子都迷_____了电子游戏。　　　　（住　好　上）

3. 他说得_____没错。　　　　（一点儿也　很　有点儿）

4. 我从小_____不喜欢吃鸡肉。　　　　（才　从来　就）

5. 他们说话的时候，爱珍正好_____。

　　　　　　　　　　　　　　　　　（听不见　听见了　听得见）

6. 昨天上课飞龙_____老师批评了。　　　　（让　被　把）

7. 香山太远了，_____咱们去圆明园吧。　　　（就　要不　而）

8. 明天的考试很容易，大家_____准备很长时间。

　　　　　　　　　　　　　　　　　　（要不　不用　听说）

四、在第七课我们介绍了旅行计划，这里我们可以用"不如"、"要不"再来谈谈旅行计划：

We learned about tour plans in Lesson Seven. Now talk about a tour plan according to the pictures using "不如" and "要不".

☐ "你去哪儿?"
☐ "为什么?"
☐ "你说呢?"
☐ 你们的决定。

洛阳

山西

北京→龙门石窟→少林寺→黄河   北京→云冈石窟→黄土高原

五、用所给词语完成每组对话：

Complete each dialogue using the given word.

1. A：你知道哪儿可以游泳吗?

   B：(不知道；飞龙可能知道)   (听说)

2. A：(一个朋友告诉他……)   (听说)

   B：是吗? 要不，咱们今天晚上去看看。

3. A：要不，我下午再来一趟吧。

B：（可以打电话） （不用）

4. A：这个练习要做吗？
   B：（当然） （不用）

5. A：大同的云冈石窟怎么样？
   B：（不太清楚，你可以问望月） （正好）

6. A：老师刚才说什么？
   B：（我也不知道） （正好）

六、用本课的生词填空：

Fill in the blanks with the new words in this lesson.

1. 他_____就喜欢运动。

2. 只要有时间，她就喜欢_____商店。

3. 你不是想了解情况吗？小王_____是从那儿来的。

4. 好的传统习惯在_____社会仍然受欢迎。

5. 父母不在身边，他感觉很_____。

6. 爸爸妈妈都很忙，没有时间_____孩子玩。

7. 那个人_____了我 20 块钱。

8. 好_____不便宜，便宜没好_____。

会 话　　Dialogue

你去什么样的地方买什么样的东西？为什么？

Where are you going to buy the following articles? Why?

地方	东西	理由
普通百货商店	蔬菜、水果	价钱
中高档大商场	食品	质量
连锁店、超市	牙膏、香皂等日用品	人数
各种自由市场	袜子、内衣等	讲价
	毛衣、外衣、鞋	种类
	电器	⋮
	文具	⋮

第 10 课 Lesson Ten
为了健康

生　词		**New Words**		

1. 鞋带	名	xiédài	shoelace
2. 系	动	jì	to tie
3. 无论如何		wúlùn rúhé	whatever
4. 得	助动	děi	to have to
5. 减肥		jiǎn féi	to lose weight
6. 得	动	dé	to get

7. 广告	名	guǎnggào	advertisement
8. 灵	形	líng	effective
9. 产品	名	chǎnpǐn	product
10. 绝对	形、副	juéduì	absolute; absolutely
11. 既然	连	jìrán	since
12. 算了		suàn le	let it be
13. 许	动	xǔ	to allow
14. 电梯	名	diàntī	elevator
15. 支	量	zhī	(a measure word)
16. 万一	副	wànyī	just in case
17. 管	动	guǎn	to manage
18. 严	形	yán	strict
19. 肯定	形、副	kěndìng	sure; surely
20. 本来	副	běnlái	originally
21. 游戏	名	yóuxì	game
22. 成绩	名	chéngjì	score
23. 下降	动	xiàjiàng	to get worse
24. 视力	名	shìlì	eyesight

专 名　Proper Names

1. 老董	Lǎo Dǒng	(name of a person)
2. 老王	Lǎo Wáng	(name of a person)
3. 小明	Xiǎo Míng	(name of a person)

课 文　Texts

1

爱人：瞧你现在胖的！连鞋带都要我帮你系。[1] 无论如何，你得减肥！

老董：是啊，是啊！可像我这样的人怎么减肥都没用。[2]

爱人：那也得想办法减。如果不减肥，你会得很多病的。

老董：你看这广告！"减肥灵"，新产品。要不，我试试？

爱人：我看哪，这些药都没什么用。

老董：你说得太绝对了吧？[3]

爱人：那你说为什么现在的胖子一天比一天多？[4]

老董：既然吃药也没用，那就算了。[5]

爱人：不行。从明天起，不许你坐电梯了，每天爬楼梯！

2

老王：这不是老董吗？怎么，电梯坏了？

老董：不是，我现在开始减肥了。来，抽一支。

老王：不不不。万一让我爱人知道了，就麻烦了。[6]

老董：怎么连你也成了"妻管严"？

老王：你别说我了，你天天爬楼梯减肥，肯定也是你爱人的主意。

老董：这谁都知道，她是为我好，怕我得病。

老王：我爱人也是一样啊！我得回去了，你慢慢爬吧。

老董：累死我了，我得先抽一支，歇一会儿。

3

　　小明 10 岁生日的时候，爸爸妈妈给他买了一台电脑。本来是为了帮他学习的，可没想到小明迷上了玩儿游戏，一玩儿就是好几个小时。[7]爸爸、妈妈说什么他都不听。最近的一次考试，小明的成绩下降了很多，而且他的视力也一天比一天差。爸爸妈妈很着急，决定不让他再玩儿了。不能玩儿游戏了，小明这两天急得饭也吃不香、觉也睡不好。看着儿子不说、不笑的样子，爸爸妈妈不知道怎么办才好。

注 释　　Notes

[1] 连鞋带都要我帮你系。

　　这是一种表示强调的方法。"连"和"也/都"之间可以放名词、动词、句子或数量词组（数词只能是"一"）。例如：

This is a way of emphasizing something. Between "连" and "也/都" one can put a noun, a verb, a sentence or a phrase of numeral-classifier compound (the numeral can only be "一"), e.g.,

① 他今天早晨起晚了，连早饭都没吃就走了。（强调他走得很急）

② 他的汉字太差了，连小孩儿的字都不如。（强调他的汉字写得很差）

③ 这个名字我连听也没听说过，当然不认识了。（强调我对这个人很陌生）

④ 他连我心里想什么都能猜到。（强调他对我非常了解）

⑤ 这孩子很害羞，见了生人连一句话也不敢说。（强调这个孩子很害羞）

[2] 可像我这样的人怎么减肥都没用。

　　"谁/哪儿/什么/怎么/……＋也/都……"，这是一种表示强调的方法。这时的"谁/哪儿/什么/怎么"不表示疑问，它们表示在一定范围内所有的人、地方、事物、方法。在肯定句里一般用"都"，否定句里用"都"或"也"都可以。例如：

"谁/哪儿/什么/怎么/……＋也/都……" is a way to show emphasis. Here, "谁/

哪儿/什么/怎么" are not to ask questions but to denote all the people，places，things or methods within a certain scope. In affirmative sentences one usually uses "都"，whereas in negative sentences both "都" and "也" can be used，e. g.，

① 我们班谁都没去过洛阳。

② 这种衣服哪儿都有卖的。

③ 他一天到晚看电视，什么节目都看。

④ 这个字太复杂了，我怎么也写不对。

[3] 你说得太绝对了吧？

(1)"绝对"常作形容词，表示某种情况在任何条件下、任何时候都是如此。例如：

"绝对" often used as an adjective means that something goes in such a way no matter what happens，e. g.，

① 世界上没有绝对的好人。

② 你对他的看法太绝对了，他不一定那么坏。

(2)"绝对"还常用作副词，表示完全、一定的意思。例如：

"绝对" can also be used as an adverb meaning absolute，certain，e. g.，

③ 考试的时候要绝对遵守考场纪律。

④ 我做的这个菜绝对会受大家的欢迎。

⑤ 爱珍的字我认识，这绝对不是她写的。

[4] 那你说为什么现在的胖子一天比一天多？

(1)"一＋量词＋比＋一＋量词" 表示程度不断加深。例如：

"一＋measure word＋比＋一＋measure word" means that the degree is becoming higher and higher，e. g.，

① 北京的发展一年比一年快。

② 人老了，身体一天比一天差。

(2) 比较项不是时间词的时候，表示全部都具有某一特点。有强调的含义。例如：

When what is being compared are not time phrases，this structure emphasizes that all share a characteristics，e. g.，

③ 幼儿园里的孩子一个比一个可爱。

[5] 既然吃药也没用，那就算了。

用"既然"提出一个已经成为事实或已经肯定的情况，后边根据这个情况得出结论。例如：

In the first clause "既然" introduces something that has already happened or that has already been affirmed. In the second clause, a conclusion is drawn based on the situation previously mentioned，e.g.，

① 既然你一定要去，我也不说什么了，不过你千万要小心。

② 你既然同意我们的意见，就跟我们一起干吧。

③ 事情既然已经发生了，后悔有什么用呢？

注意（NB）："既然"和"因为"的区别。用"既然"的句子重点在后边的结论，常常是说话人主观的想法。用"因为"的句子是说明客观上的原因，没有主观性。例如：

The difference between "既然" and "因为". In the sentence where "既然" appears，emphasis is put on the conclusion mentioned in the second clause. It is often the subjective thinking of the speaker. The sentence with "因为" indicates the objective cause，e.g.，

④ 既然（×因为）你让我负责这件事，就应该相信我。

⑤ 因为（×既然）喝酒太多，他的脑子越来越糊涂。

[6] 万一让我爱人知道了，就麻烦了。

"万一"，是一种假设，表示某种情况发生的可能性极小，但是又担心会发生。用于不希望发生的事。例如：

"万一"，introduces a hypothesis，meaning that the possibility that a situation happens is very slight，but one still worries that it may happen. It is used when one doesn't want something to happen，e.g.，

① 我要多带几件衣服，万一天气变冷，不会冻着。

② 这工作小黄也会，万一老王来不了，就让小黄干。

③ 去买飞机票以前最好先打电话问问，万一票卖完了呢？

[7] 一玩就是好几个小时。

"一＋V＋就＋是＋数量短语" / "一＋V＋就＋V＋数量短语"，表示每次做某事

都会达到某个数量。说话人认为这个数量很多。例如：

"一＋verb＋就＋是＋a phrase indicating quantity" / "一＋verb＋就＋verb＋a phrase indicating quantity" expresses that every time one does something he does it to a certain extent in terms of quantity. The speaker thinks this quantity is very big, e.g.,

① 她爱人经常去外地办事，一去就是一两个月。
② 爱珍特别喜欢吃巧克力，一吃就是十几块。
③ 望月学习很努力，一学就学半天。
④ 我们在一起聊天，一聊就聊一晚上。

练 习　　Exercises

一、用所给词语填空：

Fill in the blanks with the given words.

女人　老人　大人　孩子　老师　学生　医生　外国人

1. 连 外国人 都听不懂他的外语，我怎么能听懂。
2. 连 孩子 都知道不能这么做，可是他却这么做了。
3. 怪不得教室里连一个 学生 都没有，今天放假！
4. 现在连 女人 都开始踢足球了。
5. 有些流行歌曲很好听，连 老人 也喜欢听。
6. 连 医生 的话他也不听，他的病怎么能好呢？
7. 连 大人 都搬不动那张大桌子，更不用说小孩了。
8. 连 老师 也不认识他的名字，因为汉语里没有这个字。

二、完成下边的句子。

Complete the following sentences.

1. 既然你什么都不知道，那就没办法了。
2. 既然你什么都不知道，我们一起去找答案。
3. 既然你什么都不知道，我们_____。
4. _____，那咱们就喝点儿啤酒吧。
5. _____，那咱们就喝点儿啤酒吧。
6. _____，那咱们就喝点儿啤酒吧。

三、用"什么/谁/哪儿/怎么/……＋都……"改写句子：

Rewrite the following sentences using "什么/谁/哪儿/怎么/……＋都……".

1. 这儿的人都认识刘先生。

2. 爱珍刚来中国的时候，一句汉语也不会说。

3. 我找了学校里每一个地方，可是找不到汤姆。

4. 这种菜可以炒，可以做汤，可以生吃……

5. 牛肉、羊肉、鸡肉……黄勇都爱吃。

6. 没有人知道张英去哪儿了。

7. 这种衣服每个商店都有卖的。

8. 这把锁我用了各种办法，弄了半天，可是打不开。

四、用括号中的词语完成句子：

Complete the following sentences using the words in the brackets.

1. 安娜特别喜欢跳舞，每次参加舞会＿＿＿＿＿＿。（一……就〈是〉……）

2. 老董酒量大极了，喝啤酒＿＿＿＿＿＿＿＿。（一……就〈是〉……）

3. 爷爷是十岁的时候来北京的，在这儿＿＿＿＿＿＿。
   （一……就〈是〉……）

4. 这几年来中国学汉语的外国人＿＿＿＿＿＿。　（一……比一……）

5. 你看这些运动员，＿＿＿＿＿＿＿。　（一……比一……）

6. 动物园里的大熊猫＿＿＿＿＿＿＿。　（一……比一……）

7. 你到北京以后，＿＿＿＿＿＿＿＿＿，可以先住在我家。　（万一）

8. 这个工作除了老王小赵也会做，＿＿＿＿＿＿＿。　（万一）

9. 带上雨衣吧，＿＿＿＿＿＿＿。　（万一）

10. 下星期姐姐结婚，＿＿＿＿＿＿＿＿＿。　（无论如何）

五、选词填空：

Fill in the blanks with the given words.

　　　　绝对　算了　肯定　本来　原来　下降

1. 这儿 <u>本来</u> 是个冰场，现在盖起了高楼。

2. 事情都有好的方面，也有不好的方面，不能想得太 <u>绝对</u>。

3. 河里的水真清，要是下去游游泳，<u>肯定</u> 很舒服。

4. 昨天夜里下了一场大雨，今天早晨气温 <u>下降</u> 了不少。

5. 回国的日子_本来_定在下月二十号，可是因为没有买到机票，就改到二十七号了。

6. 你这些衣服都不太好看，_算了_，我不买了。

7. 这个人这么胖，_肯定_不是张英。

8. 这盘虾炒得太咸了，虾_本来_的味道都没有了。

9. 老王点点头，给了老董一个_肯定_的回答。

10. 我找了你半天，_原来_你在这儿呀。

11. 黄河的水位每年都要_下降_几厘米。

12. 买不到奶酪就_算了_，可以用黄油。

会话　　**Dialogue**

完成对话：

Complete the dialogue.

A：这么好吃的肉你怎么不吃啊？

B：＿＿＿＿＿＿＿＿＿＿＿＿＿＿＿＿＿。

A：你一点儿也不胖，＿＿＿＿＿＿＿＿＿＿＿＿＿＿＿＿＿。

B：其实，你真应该减减肥了，＿＿＿＿＿＿＿＿＿＿＿＿＿＿＿＿＿。

A：＿＿＿＿＿＿＿＿＿＿＿＿＿＿＿＿＿。后来就算了。

B：吃药不行，＿＿＿＿＿＿＿＿＿＿＿＿＿＿＿。

A：对，从明天开始，每天早上跑步。

B：还有，别吃太多肉和奶油。

A：＿＿＿＿＿＿＿＿＿＿＿＿＿＿＿＿。

第 11 课 Lesson Eleven
购　物

New Words

1. 眼镜	名	yǎnjìng	glasses
2. 架	名	jià	frame
3. 断	动	duàn	to break
4. 副	量	fù	(a measure word)
5. 镜片	名	jìngpiàn	lens
6. 够	副	gòu	very
7. 厚	形	hòu	thick
8. 皮肤	名	pífū	skin
9. 相配		xiāng pèi	to match

10. 最好	副	zuìhǎo	It would be best if...
11. 款式	名	kuǎnshì	style
12. 打折		dǎ zhé	to sell at a discount
13. 原价	名	yuánjià	original price
14. 现价	名	xiànjià	present price
15. 身	量	shēn	(a measure word)
16. 料子	名	liàozi	material for making clothes
17. 气派	形	qìpài	spirited
18. 模特儿	名	mótèr	model
19. 别致	形	biézhì	unique
20. 正	形	zhèng	pure
21. 身材	名	shēncái	figure
22. 苗条	形	miáotiao	slender
23. 衬衫	名	chènshān	shirt
24. 后悔	动	hòuhuǐ	to regret
25. 放心		fàng xīn	don't worry
26. 相信	动	xiāngxìn	to believe
27. 行家	名	hángjiā	expert
28. 因此	连	yīncǐ	so

课 文　Texts

黄勇：师傅，我的眼镜架断了，我想换一副眼镜架。

师傅：我看看，你的镜片可够厚的。[1]

黄勇：有跟这镜片相配的吗？

师傅：有。这种一千五，是日本进口的。

黄勇：好是好，不过够贵的。[2]

师傅：这种八百，颜色跟你的皮肤很相配。

黄勇：有没有再便宜点儿的？我还是个学生，最好配个便宜点儿的。[3]
　　　款式、颜色什么的没关系。[4]

师傅：那你看看这边的。这是国产的，现在正在打折，原价四百八，现
　　　价一百二十八。你给一百二，怎么样？

黄勇：行，我就要这个吧。

2

爱珍：你看这身衣服，料子真好，穿上它肯定气派！

望月：气派肯定是气派，就是颜色太深了，中年人穿更合适。你看这个
　　　模特儿身上的红裙子怎么样？

爱珍：真是太漂亮了！样子挺别致，颜色也正。

望月：你身材苗条，皮肤也白，穿上一定很好看。拿一条试试吧！

爱珍：算了，以后再说吧。别忘了，我今天是来买衬衫的。

望月：好吧，不过你可别后悔呀。

爱珍：放心，我从来不后悔，以后肯定会有更好的。说了半天，你自己
　　　怎么不买呀？

望月：我正在后悔呢，前几天我刚买了一条裙子。

3

　　现在买东西的时候真不知道应该相信谁。相信自己吧，自己不可

能什么都是行家；相信广告吧，那么多广告又不知道应该相信哪一个；相信商店、售货员吧，他们在你买以前态度都挺好，等你买完以后就不一定了。[5]

我买东西主要看质量和价钱是不是合适，颜色、款式什么的，只要差不多就行。[6]不过价钱是不是合适，我常常也不十分清楚。因此，我很想知道别人买东西的时候是怎么决定的。[7]

注 释　Notes

[1] 你这镜片可够厚的。

"够"用在形容词前，后边常跟"的"、"了"或"的了"，表示达到了某种很高的程度。用"了"、"的了"时前边常有"已经"，后边还有一个说明变化或表示劝阻的句子。例如：

"够" is used before adjectives. After it "的"，"了" or "的了" often appears. It means having reached a very high degree. "已经" often precedes "够" when "了" or "的了" is used, and then a sentence expressing a change or a dissuasion follows, e. g.，

① 今天够热的。

② 出租车司机的工作真是够辛苦的。

③ 往年的花市已经够热闹了，今年的更热闹。

④ 他已经够忙的了，别再给他添麻烦了。

否定式不用"的"、"了"等，例如：

In its negative form，"的" or "了" should not be used，e. g.，

⑤ 我的汉语还不够好。

[2] 好是好，不过够贵的。

"A 是 A"表示让步，后边常用"可是"、"不过"或"就是"等表示转折的词语。例如：

"A 是 A" indicates concession. A transitional expression such as "可是"，"不过" or "就是" is often used after it，e. g.，

① 他胖是胖，可是动作挺灵活。

② 亲戚是亲戚，不过不常来往。

③ 喜欢是喜欢，可是我不打算买。

有时候用"A1 是 A2"的形式，A2 是对 A1 的进一步说明。例如：

Sometimes the construction "A1 是 A2" is used, in which A2 further explains A1, e.g.,

④ 他呀，心是好心，就是用的方法不太好。

⑤ 这东西便宜是挺便宜，只是颜色我不喜欢。

⑥ 听是听清楚了，可是没记住。

[3] 我还是个学生，最好配个便宜点儿的。

"最好"，惯用语。表示最理想的选择，常用来引出一种建议或劝告。意思是"这样做比较好"。例如：

"最好" is an idiomatic expression, indicating the best choice. It is often used to introduce a suggestion or an advice. It means "这样做比较好" (it is better to do it this way), e.g.,

① 现在办公室的老师快下班了，你最好明天去。

② 小孩子最好不要经常玩儿电脑。

③ 我觉得这个季节最好去大同。

注意 (NB)："我们班玛丽的口语最好。"这里的"最好"是"最＋好"，不是惯用语。"最"是副词，可以换成"特别"、"非常"等词语。例如：

In "我们班玛丽的口语最好"，"最好" is equivalent to "最＋好"，which is not an idiom. "最" is an adverb, and can be replaced by "特别"，"非常" etc., e.g.,

④ 他觉得去草原最/非常好。

[4] 款式、颜色什么的没关系。

"……什么的"用在表示列举的句子里，前边可以是一件事物，也可以是几件事物。意思是"等等"。例如：

"……什么的" is used in a sentence of enumeration. Before "什么的"，there can be one thing or several things. "什么的" means "等等" (etc.), e.g.,

① 她的书包里装满了口红、粉饼、眉笔什么的。

② 飞龙不喜欢唱歌什么的，就爱打篮球。

口语中常用，语气比较轻。一般不用来列举人和地名。

"什么的" is often used in spoken Chinese and its tone is weak. It's not usually used to enumerate names of people and places.

[5] **相信自己吧，……相信广告吧，……相信商店、售货员吧，……**

"……吧…… ……吧……" 用于并列复句中。在遇到两种或两种以上的情况可以选择时，考虑每一种情况，并且说出一个否定这个情况的理由。有"拿不定主意"的意思。例如：

"……吧…… ……吧……" is used in coordinate compound sentences. When facing two or more choices one can choose from, one considers each choice and then gives a reason against it. It implies that one can't make up his mind, e. g. ,

① 晚上做什么饭呢？包饺子吧，太麻烦；做米饭吧，家里的米吃完了。

② 周末去哪儿呢？去公园吧，路太远；去商场吧，人太多。

[6] **颜色、款式什么的，只要差不多就行。**

"只要……就……" 用在条件复句中。"只要" 后边提出一个充分条件，"就" 后边是在这个条件下得到的结果。意思是有这个条件时一定有这个结果。例如：

"只要……就……" is used in conditional compound sentence. "只要" introduces a sufficient condition, and "就" leads to the result obtained when this condition is fulfilled. It means that when this condition is fulfilled this result will be surely obtained, e. g. ,

① 只要便宜就好，款式、颜色什么的没关系。

② 如果我们的产品出了问题，只要您打个电话，我们就会上门修理。

③ 只要你是这个学校的学生，就应该遵守这儿的纪律。

④ 只要是报了名的，都可以参加今天的唱歌比赛。

[7] **因此，我很想知道别人买东西的时候是怎么决定的。**

"因此" 用在表示结果的句子里，前边的句子有时用"由于"呼应表示原因。"因此"可以用在主语前，有时也可以用在主语后。例如：

"因此" is used in sentences expressing a result. In the sentence preceding it, one may use "由于" to indicate reason. "因此" can be put before the subject and sometimes after it, too, e. g. ,

① 我跟他在一起很多年了，因此非常了解他。

② 雪融化时吸收热量，气温因此会下降。

③ 由于我们做了充分的准备，因此这次旅行很成功。

有时，"没有"、"也"、"都"等副词放在"因此"前面。此时相当于"因为这个原因而……"。例如：

Sometimes "因此" can be put after the adverb "没有"，"也" or "都" etc. in a sentence. Then it means "因为这个原因而……" (because of this reason...), e. g.,

④ 这次考试的成绩虽然不太好，但是他没有因此失去信心。

⑤ 这次雪下得很大，很多学校都因此放了几天假。

练 习　　Exercises

一、根据图示回答问题（用上"只要"）：

Answer the question according to the picture using "只要".

A：你想住什么样的房间？

B：＿＿＿＿＿＿＿＿

二、用"……吧……　……吧……"和"最好"完成对话：

Complete the dialogues using "……吧……　……吧……" and "最好".

例：A：你想找汉语辅导老师吗？

　　B：找吧，花钱太多；不找吧，我又需要帮助。

　　A：我看，你最好找个想学英语的学生，这样可以互相帮助并且省钱。

1. A：你说咱们怎么去？是骑车还是坐车？

　　B：＿＿＿＿＿＿＿＿＿＿

A：_____

2. A：你说我们中午去好还是晚上去好？

B：_____

A：_____

3. A：周末你打算去香山还是故宫？

B：_____

A：_____

4. A：晚上咱们去哪儿吃？你想好了吗？

B：_____

A：_____

5. A：你说，我剪短头发好看，还是留长头发好看？

B：_____

A：_____

6. A：同学们让你当班长，你当不当啊？

B：_____

A：_____

7. A：今年寒假你回不回家？

B：_____

A：_____

8. A：这两家公司，你打算去哪家？

B：_____

A：_____

三、选择词语填空：

Choose the right words to fill in the blanks.

1. 望月是我们班____最____好的学生。

   最　　太　　够　　极了

2. 这个学校有____很____多留学生。

   太　　最　　够　　很

3. 你这儿的价钱____够____高的。

   太　　很　　够　　最

4. 你的镜片____太____厚了，真不好配镜架。

　　　　　最　　　很　　　太　　　够

　　5. 只要是去过杭州的人，都说那儿的风景美 <u>极了</u>。

　　　　　太　　　极了　　　够　　　最

　　6. 这辆车 <u>~~够~~太够</u> 挤的了，别再上人了。

　　　　　太　　　最　　　极了　　　够

四、用 "A 是 A" 回答下边的问题：

Answer the following questions using "A 是 A" construction.

　　1. 你的房间怎么样？

　　2. 现在的学习累不累？ 累是累但是我学到很多东西

　　3. 那家饭馆的四川火锅怎么样？

　　4. 学汉语难吗？

　　5. 昨天老师讲的故事你听懂了吗？能不能给我讲讲？

　　6. 这双鞋不错，你说呢？

　　7. 我可以借你的自行车骑一下吗？

　　8. 你想去西藏旅游吗？

五、用括号中的词语完成句子：

Complete the sentences using the words in the brackets.

　　1. _____，我都爱吃。　　　　　　　　（什么的）

　　2. 菜市场里摆满了_____。　　　　　　　　（什么的）

　　3. 考试以前爱珍准备得很认真，_____。　　　　　　（因此）

　　4. 这些孩子正在长身体，_____。　　　　　（因此）

　　5. 他一说完这句话，_____。　　　　　　　（后悔）

　　6. _____，现在发现他是坏人已经晚了。　　　　　　（后悔）huǐ

六、用本课的生词填空：

Fill in the blanks with the new words in this lesson.

　　1. 最近很多商场都在 <u>打折</u>，东西非常便宜。

　　2. 这种 <u>料子</u> 做裙子很合适。

　　3. 这么 <u>厚</u> 的书李钟文两天就看完了。

　　4. 黄勇从来不骗人，你完全可以 <u>相信</u> 他。

5. 这 ___副___ 耳环式样真 ___别致___ 。

6. 这种 ___靓式___ 的衣服 ___原价___ 五百八，___现价___ 二百四。

7. 你 ___放心___ ，下午三点以前一定修好，耽误不了你用。

8. 张英用什么办法减的肥？___身材___ 比原来 ___苗条___ 多了。

9. 这条裤子的颜色不 ___相配___ ，不好看。

10. 我的铅笔掉在地上，摔 ___断___ 了。

会 话　　Dialogue

完成下边的对话：

Complete the dialogue.

A：您看这套绿衣服，_____。

B：这颜色年轻人穿合适，我穿_____。

A：您也不老呀。而且_____，_____，穿这身衣服最合适了。

B：_____，可是太贵了。

A：又要好看，又要便宜，那可太难了。

B：是呀，现在买衣服，_____，不便宜；便宜的吧，_____。

A：_____，现在打五折，才_____。

B：_____，没有毛病吧？

A：_____，绝对没问题。

B：好，_____，_____。

第 12 课 Lesson Twelve
谈论朋友

生 词 New Words

1. 从事	动	cóngshì	to devote oneself to
2. 对外		duì wài	external，foreign
3. 教学	名	jiàoxué	to teach
4. 以为	动	yǐwéi	to think
5. 研究生	名	yánjiūshēng	postgraduate
6. 来着	助	láizhe	(used at the end of affirmative sentences or special questions，indicating a past action or state)
7. 突然	形	tūrán	unexpected

8. 老实	形	lǎoshi	honest
9. 内向	形	nèixiàng	introverted
10. 奇怪	形	qíguài	strange
11. 脑子	名	nǎozi	brain
12. 想法	名	xiǎngfǎ	idea
13. 光／只	副	guāng	only
14. 好话	名	hǎohuà	word of praise
15. 缺点	名	quēdiǎn	shortcoming
16. 当面		dāng miàn	to one's face
17. 背后	名	bèihòu	behind one's back
18. 优点	名	yōudiǎn	strong point，merit
19. 谦虚	形	qiānxū	modest
20. 性格	名	xìnggé	character
21. 开口		kāi kǒu	to open one's mouth
22. 说不定	动、副	shuōbudìng	to be uncertain；perhaps
23. 脾气	名	píqi	temper
24. 黄	形	huáng	blond（hair）
25. 外向	形	wàixiàng	outgoing，extroverted

专 名 Proper Names

1. 肖强		Xiāo Qiáng	(name of a person)
2. 上海		Shànghǎi	(name of a place)
3. 意大利		Yìdàlì	Italy

课文　Texts

1

张英：你知道吗？肖强要去上海外国语大学，从事对外汉语教学工作。

黄勇：真的啊？我原来一直以为他会考研究生的。[1]

张英：大家都这么想来着，[2]所以我听到他要去上海的消息，也觉得有点儿突然。

黄勇：可咱们几个人里边，就你最了解他了。

张英：你们跟他也不错呀。他这人非常老实，有点儿内向。

黄勇：说起他来，我常常觉得他有点儿奇怪。[3]

张英：其实他很有脑子，常常有些很新的想法。

黄勇：呵呵，光听你说他的好话，他没有缺点吗？[4]

张英：当然有，不过好朋友应该当面说缺点，背后说优点。再说，他的缺点你们也都知道。[5]

2

飞龙：我发现望月挺谦虚的。

汤姆：我也这么想。不过她性格有点儿内向。

飞龙：可不是吗！[6]上课时她要是多开口说话，她的口语会更好。

汤姆：听说她跟日本人在一起时可是爱说爱笑。

飞龙：那说不定过一段时间，她跟咱们也会又说又笑。[7]

汤姆：说起来，她的脾气真好，说话的声音也好听。你觉得呢？

飞龙：对。是个好女孩。

3

我们班左拉是从意大利来的，他个子高高的，眼睛大大的，头发黄黄的。左拉爱说爱笑，笑的时候声音很大，样子也很好看。他性格非常外向，有什么说什么。[8]大家都喜欢跟他在一起。他学习非常努力，而且很聪明，老师讲一遍他就会了。他一有空就上街去转转，跟中国人说话，特别喜欢跟一些中国老人说话。但是，他有一个缺点，就是爱着急；不过我们班同学都爱看他着急时的样子，非常可爱。

我们班每个同学都非常有意思，你不想认识他们吗？'

注 释　　Notes

[1] 我原来一直以为他会考研究生的。

"以为"表示对人或事物做出判断，但是事实证明这个判断不对。例如：

"以为" is employed when judging somebody or something, but the fact proves that this judgement is wrong, e. g. ,

① 大家都以为黄勇已经去上海了，其实他还没走。

② 不要以为世界上只有你最聪明。

注意（NB）："以为"和"认为"的区别。"以为"一般只用于已被事实证明不正确的判断，"认为"用于正确的判断或还没有被证明是不正确的判断。"认为"前边可以用"让"和"被"。"以为"前边只能用"让"。例如：

The difference between "以为" and "认为". "以为" is usually only used when the judgement is proved to be wrong, whereas "认为" is used when it is correct or when it hasn't been proved that it is incorrect. Before "以为" only "让" can be used, whereas before "认为", either "让" or "被" can be used, e. g. ,

③ 去游乐园被大部分孩子认为（×以为）是最高兴的事。

④ 我认为应该请专家来判断谁的回答对。

⑤ 他的话让大家认为他是对的。

⑥ 小鸟欢快的叫声让人以为春天到了。

[2] 大家都这么想来着……

"来着"，用在句子末尾，表示已经发生过的事。用"来着"的句子没有否定形式。疑问句中"来着"只能用于用"什么"、"谁"、"哪"的特指疑问句。例如：

"来着" is used at the end of a sentence and refers to something that already happened. A sentence with "来着" doesn't have a negative form. "来着" can only be used in special questions with "什么","谁","哪儿", e.g.,

① 连脸都没洗，这一天你忙什么来着？

② 我的书呢？刚才还在桌子上来着。

③ 昨天老师在办公室跟你说什么来着？

"来着"用于特指疑问句，还可以表示原来知道可是现在忘了。例如：

When "来着" is used in special questions，it also means "原来知道可是现在忘了"（one knew something before，but has forgotten it now），e.g.,

④ 那个演员挺有名的，叫什么来着？

⑤ "Qìng"字怎么写来着？

[3] 说起他来，我常常觉得他有点儿奇怪。

"V＋起来"，用在句子前边，作插入语，表示从某一方面估计、判断、考虑，常用的动词有"说"、"看"、"想"、"算"、"论"等。"起"和"来"之间可以插入其他成分。例如：

"verb＋起来" is used as a parenthesis at the beginning of a sentence to express an assessment，a judgement or a consideration from a certain aspect. The verbs that are often used with "起来" include "说"，"看"，"想"，"算" and "论"，etc.，other elements can be inserted between "起" and "来"，e.g.,

① 看起来，他是这方面的专家。

② 算起来，我们到北京已经一个月了。

③ 论起质量来，这个牌子是最好的。

④ 说起养鱼来，我一点儿也不懂。

[4] 光听你说他的好话，他没有缺点吗？

（1）副词"光"用在动词和形容词前边，意思是除了某一件事以外，不做别的，或除了某一性质，没有别的。例如：

The adverb "光" is used before a verb or an adjective, meaning doing nothing else but one, or having no other feature but one, e. g. ,

① 学汉语光上课不够，还要多跟中国人谈话。

② 那孩子见了我们光笑不说话。

③ 生词记不住，光急没有用。

④ 鞋光便宜不行，重要的是结实。

（2）"光"＋名词/代词（＋数量词组）＋"就"＋动词＋数量结构，意思是在某个范围内达到了很多的数量。例如：

"光"＋noun/pronoun（＋a phrase of numeral-classifier compound）＋"就"＋verb＋numeral-classifier construction. It means that in a given scope a very big quantity has been reached, e. g. ,

⑤ 他们家书很多，光他一个人就有两百多本。

⑥ 晚会上同学们表演了很多节目，光爱珍就唱了三首歌。

[5] 好朋友应该当面说缺点，背后说优点。再说，他的缺点你们也知道。

"再说"表示进一步说明理由或补充新的理由。用在第二个句子前边。是口语用法。例如：

"再说" is used when giving a further explanation of a reason or adding a new reason. It is put at the beginning of the second clause. It is usually used in spoken Chinese, e. g. ,

① 这本书没什么意思，封面也不好看，再说你已经有一本跟它差不多的了，别买了。

② 我们是好朋友，不用这么客气，再说我也没帮上你什么忙。

③ 这次旅行我不去了，最近太忙，再说我刚买了汽车，没钱了。

注意（NB）："再说"跟"再＋说"的区别。"再＋说"的意思是：某事现在不做或不考虑，等将来合适的时候做或考虑。例如：

The difference between "再说" and "再＋说". The meaning of "再＋说" is that one does not want to do or think of something now, but will do or think of it when the right time comes, e. g. ,

④ 今天太晚了，明天再说吧。

⑤ 你先找地方住下，工作的事过几天再说。

[6] 可不是吗！

"可不是（吗）"，是一种反问句，用在对话里，表示同意对方说的话。也可以说成 "可不"、"可不吗"，句末不用问号。例如：

"可不是（吗）" is a rhetorical question，and is used in a conversation to express agreement with what has been said by the other party．"可不" and "可不吗" can also be said to mean the same thing，e. g. ，

① A：这个商店的服务态度太差了。

　　B：可不是吗。

② A：咱们该去看场电影了。

　　B：可不，好长时间没看电影了。

[7] 那说不定过一段时间，她跟咱们也会又说又笑。

"说不定" 意思是 "可能" 或 "不能肯定"。可以用在主语后，也可以用在句子前边，在对话中也可以单独用。例如：

"说不定" means "可能"（probably）or "不能肯定"（uncertain）. It can be used after the subject or at the beginning of a sentence，or alone in a conversation，e. g. ，

① 那个姑娘天天来找他，说不定是他的女朋友。

② 到现在还不来，他说不定把这事忘了。

③ 现在还说不定他能不能来。

④ A：怎么还找不到？咱们走错路了吧？

　　B：还真说不定。

[8] 他性格非常外向，有什么说什么。

两个 "什么" 连用，前后照应，表示前者决定后者。第一个 "什么" 可以指某一范围中的任何一个，它确定之后，第二个 "什么" 所指的内容也就被确定下来。两个 "什么" 之间用动词连接，有一定的强调作用。"什么" 可以换成 "谁"、"哪里" 等。例如：

The two "什么" are used in succession with the former one determining the latter one. The first "什么" can be used to refer to anyone or anything among a certain scope. What is refered to by the second "什么" is decided by the first one. The two "什么" are connected by verbs and used for emphasis. "什么" can be replaced by

"谁"，"哪里"，etc.，e.g.，

① 她走到哪儿，就把笑声带到哪儿。

② 你们准备什么节目，就演什么节目。

③ 新郎新娘见谁就给谁敬酒。

④ 晚饭随便吧，你做什么我吃什么。

练 习　　Exercises

一、用"以为"介绍图的内容：

Give a description of each picture using "以为".

1.

2.

3.

4.

二、根据所给材料，用"再说"对话：

Make a dialogue according to the given information using "再说".

例句：A：你觉得那个电影怎么样？

B：我不喜欢，太慢了，再说故事内容也不新鲜。

I	II
●他来我们班好几天了，也没做自我介绍。 ●老董买的那件衣服料子一般。 ●我觉得那家饭馆不太贵。 ●他不想去，因为他已经去过好几次了。 ●学校附近的那家商场人太多了。 ●这种课本本来就比较容易。	●他来我们班以后根本没跟别人说过话，我们都不了解他。 ●老董买的衣服太大了。 ●我觉得那家饭馆有空调，也很干净。 ●他不想去。因为下星期有考试，他怕耽误时间。 ●学校附近的那家商场东西太贵了。 ●他几年以前学过。

三、用括号中的词语或短语改写句子：

Rewrite the sentences with the words in the brackets.

1. 太晚了，可能没有公共汽车了。　　　　　　　（说不定）

2. 咱们去别的市场看看吧，可能会买到更便宜的。（说不定）

3. 左拉可能在图书馆。　　　　　　　　　　　　（说不定）

4. 我现在不能说他一定会来。　　　　　　　　　（说不定）

5. A：明天的会校长能参加吗？
   B：现在不能肯定。　　　　　　　　　　　　（说不定）

6. A：你看那个人是干什么的。
   B：我看他可能是小偷。　　　　　　　　　　（说不定）

7. A：该打扫打扫房间了。
   B：对，咱们房间太乱了。　　　　　　　　　（可不）

8. A：要是再不下雨，就要把人热死了。
   B：我也这么想。　　　　　　　　　　　　　（可不是吗）

四、用"来着"完成对话：

Complete the dialogues using "来着".

1. A：＿＿＿＿＿＿＿＿＿＿＿＿？
   B：我去长城了。

2. A：刚才你们干什么了？

    B：_____。

  3．A：笔呢？刚才还_____。

    B：是不是夹在书里了？

  4．A：昨天你们去肖强家，那么晚才回来，玩儿什么了？

    B：_____。

  5．A：_____？

    B：我是 C 班的。

  6．A：_____？

    B：左边一个提手旁，右边一个"斤"字。

五、用括号中的词语完成句子：

Complete the sentences using the words in the brackets.

  1．_____，大家都有很多感想。 （……起来）

  2．每天花五十块钱美容，_____，可不是小数目。 （……起来）

  3．_____，王老师还是我的老师的老师。 （……起来）

  4．_____？这么多菜，别剩下了。 （光……）

  5．书包丢了，_____，赶快想办法去找吧！ （光）

  6．昨天我们喝了很多酒，_____ （光）

  7．张英的衣服特别多，_____ （光）

  8．晚饭不用特别准备，_____。 （……什么……什么）

  9．我正在房间看书，_____ （突然）

  10．刚听说左拉要回国时，_____ （突然）

六、用本课生词填空：

Fill in the blanks using the new words in this lesson.

  1．小赵的_____有点儿_____，很少_____说话。

  2．小赵的爱人爱说爱笑，非常_____。

  3．对朋友有意见应该_____说出来，不要_____说坏话。

  4．我不小心弄倒了他的自行车，我给他说了很多_____，他才让我走。

  5．我们每个人有_____，也有_____。

  6．黄勇是个_____人，从来不说假话。

  7．望月的_____好极了，从来不生气。

  8．在我们班，左拉_____最灵，成绩最好。

9. 孩子们经常有一些_____让大人们觉得很_____。

10. 张英成绩很好，但她还常常_____地说："我需要继续努力。"

会 话　　**Dialogue**

完成对话：

Complete the dialogue.

A：我刚才_____。

B：她长什么样？

A：_____眼睛，_____个子，_____头发。

B：_____。

A：她一说话就脸红，_____？

B：_____，等和大家熟悉了可能就不这样了。

　　她学习怎么样？

A：_____，学什么都是一学就会。

B：她人好吗？

A：_____，而且不太谦虚。

B：你怎么_____？

A：就是她在这儿，_____。

第 13 课 Lesson Thirteen

旅行归来

生 词　　New Words

1. 感觉	动、名	gǎnjué	to feel；feeling
2. 从头到尾		cóng tóu dào wěi	from the beginning to the end
3. 别提	动	biétí	to be indescribable
4. 开心	形	kāixīn	happy
5. 十全十美		shí quán shí měi	perfect
6. 悬空	动	xuánkōng	to suspend in mid air
7. 寺	名	sì	temple

8. 塔	名	tǎ	pagoda
9. 之	助	zhī	(one) of
10. 所有	形	suǒyǒu	all
11. 佛像	名	fóxiàng	figure of Buddha
12. 害怕	动	hàipà	to be scared
13. 无论	连	wúlùn	no matter
14. 回	量	huí	time (a measure word)
15. 晕车		yùn chē	car-sickness
16. 吐	动	tù	to vomit
17. 好心	形、名	hǎoxīn	warm-hearted; goodness
18. 导游	名	dǎoyóu	tour guide
19. 片	量	piàn	(a measure word)
20. 没用		méi yòng	useless
21. 放松	动	fàngsōng	to relax
22. 愉快	形	yúkuài	pleasant
23. 半路	名	bànlù	on the way
24. 推	动	tuī	to push
25. 样子	名	yàngzi	manner
26. 遇到		yù dào	to meet accidentally
27. 心情	名	xīnqíng	mood

专名 Proper Names

1. 悬空寺	Xuánkōng Sì	(name of a temple)
2. 应县	Yìng Xiàn	(name of a place)
3. 泰山	Tài Shān	Mt. Taishan

课文　Texts

1

汤　姆：这次旅行你感觉怎么样？

李钟文：吃得好，住得好，玩儿得也好，从头到尾别提多开心了。[1]

汤　姆：这么说十全十美了。你们都游览了什么地方？[2]

李钟文：云冈石窟、悬空寺，还有应县木塔，该去的地方都去了。

汤　姆：我听说云冈石窟是中国三大石窟之一，[3]一定很漂亮吧？

李钟文：你说得一点儿也不错。我们所有的人都被那些佛像迷住了。

汤　姆：这么说，那些佛像给你的印象最深？

李钟文：要说印象最深，还是悬空寺。[4]

汤　姆：听这名字就让人害怕。

李钟文：没错，看见时害怕，上的时候害怕，到了上边更害怕。我想以
　　　　后无论什么时候，我都忘不了悬空寺。[5]

2

张　英：听爱珍说你们这次旅行挺不错，是吗？

望　月：不错什么呀？一点儿也不好。

张　英：是吗？怎么回事？

望　月：我晕车，坐火车还行，坐汽车时间一长就想吐。

张　英：原来是这样。吃点儿晕车药就好啦。

望　月：哪儿呀！第一天没吃药，虽然很难受，但是还看了几个地方。
　　　　第二天好心的导游给了我两片药，可谁知更麻烦了。[6]

张　英：又怎么了？吃药也没用？

望　月：不是。我把两片药全吃了。吃了以后就一直睡觉，什么都没
　　　　　看到！

3

　　旅行是为了放松、休息，使心情愉快。谁也不想旅行回来时一肚
子不高兴。[7]

　　上次我们去泰山游览，可谁知半路上汽车坏了。但是我们既没有不高
兴，也没有着急。大家又说又笑，做出推车上泰山的样子，照了很多照片，
别提多有意思了！现在一说起旅行，我就想起这件事。可以说，这是我印象
最好、最深的一次旅行。

　　所以，无论遇到什么事，只要心情好，不愉快的事有时也能让你
一样开心。

注 释　　Notes

[1] 从头到尾别提多开心了。

　　"别提"表示程度很深，使用的格式是：别提＋多＋形容词/动词（词组）＋了，
有时"别提"后面可加上"有"字。例如：

　　"别提" shows that the degree is very high. Its structure is "别提＋多＋adjective/
verb（phrase）＋了". Sometimes "有" is added after "别提". e. g.，

　　① 他的护照丢了，别提多着急了。

　　② 我家的玫瑰花开了，别提多香了。

　　③ 黄勇长得别提多像他爸爸了。

　　④ 明明放学后没有回家，妈妈别提有多担心了。

　　注意(NB)："别提"跟"别＋提"不同，"别＋提"意思是不要说，表示劝阻。例如：

　　"别提" and "别＋提" are different. "别＋提" means not to mention something and denotes dissuasion，e. g. ，

⑤ 你见了他，先别提借钱的事。

⑥ A：昨天你们换钱了吗？

B：别提了，昨天银行休息。

[2] 你们都游览了什么地方？

"都"总括动词涉及的全部对象。问话时，只用于特指疑问句，总括的对象（疑问代词）放在"都"后。例如：

"都"includes all the objects the verb is related to. It is only used in special questions，and all the objects the verb is related to go after "都"，e. g. ，

① 你们家都有谁？

② 刚才校长都说了些什么？

③ 飞龙去黄勇家都带了什么礼物？

[3] 我听说云冈石窟是中国三大石窟之一……

"之一"意思是"其中的一个"，"是……之一"是常用形式。例如：

"之一" means "其中的一个" （one of...），often used in the structure "是……之一"，e. g. ，

① 爱珍是望月的好朋友之一。

② 杭州是中国最有名的城市之一。

③ 中国是世界上人口最多的国家之一。

[4] 要说最深，还是悬空寺。

这里的"要"是连词，表示假设。"要说"意思是"如果说"，后边可以用名词、动词、形容词或句子。例如：

Here "要" is a conjunction，denoting a hypothesis. "要说" means "如果说". After it one can use a noun，a verb，an adjective or a sentence，e. g. ，

① 要说条件，这儿当然不如大饭店。

② 要说买电视，现在我愿意买国产名牌。

③ 要说做饭，还是妈妈做的饭好吃。

[5] 我想以后无论去什么地方，我都忘不了悬空寺。

"无论"表示条件改变，但是结果不变。一般用"无论……也/都……"的形式。"无论"后边一定要有"什么"、"怎么"、"谁"、"哪"、"多么"等词，或者有表示选择关系的并列成分。"无论"也可以说成"不管"。例如：

"无论" means under whatever circumstances, the result remains the same. It is usually used in the structure "无论……也/都……". After "无论", one must use "什么"，"怎么"，"谁"，"哪"，"多么"，etc., or coordinate elements suggesting choices. "无论" can be replaced by "不管", e. g.,

① 无论谁有困难，他都热心帮忙。

② 无论我怎么解释，他也不明白。

③ 无论多么冷，他都坚持每天去河里游泳。

④ 无论你想不想做，你都得做。

⑤ 不管有没有，我都要去看看。

⑥ 老王家，不管大事、小事都是大家商量着办。

[6] 可谁知更麻烦了。

"谁知（道）"表示没想到。例如：

"谁知（道）" means unexpectedly, e. g.,

① 我只是让他尝尝我做的蛋糕，谁知他把一个蛋糕都吃了。

② 开始的时候，他学汉语是因为觉得好玩儿，可谁知一学就着迷了。

③ 我以为滑冰很容易，谁知道这么难呀。

[7] 谁也不想旅行回来时一肚子不高兴。

"一肚子"表示的意思是"心里充满……（的感觉）"，"一肚子"后常用"不高兴"、"气"、"话"等。例如：

"一肚子" means "心里充满……（的感觉）" (full of). After "一肚子", one often uses "不高兴"，"气"，"话"，etc., e. g.,

① 东西没买成，还生了一肚子气。

② 他们好长时间没见面了，都有一肚子话要说。

练 习　**Exercises**

一、看图，按照下面提供的情景和提示完成对话：

Complete the dialogue according to the pictures and the given situations.

飞龙想去一个小地方玩儿，黄勇有点儿担心，不希望他去，可是飞龙一定要去。

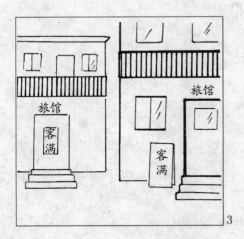

黄勇：我看你别去那儿了，_____。

飞龙：无论_____，我都要去。

二、你和你的朋友谈对中国或北京的印象（参考下面的提示）：

Talk with your friend about your impression of China or Beijing (you may follow the examples and clues given below).

例句：A：你觉得中国的什么方面给你印象最深？

B：要说印象最深，应该是中国的交通，特别是中国的自行车，比天上的星星还多。

1. 玩的地方
2. 吃的饭菜
3. 住的饭店

4. 服务员的态度
5. 东西的价钱
6. 买东西的地方

三、用"别提"完成下边的对话：

Complete the following dialogues with "别提".

1. A：你的宿舍怎么样？

   B：别提了，非常乱(luàn)

2. A：昨天她做的菜好吃吗？

   B：别提多好吃了

3. A：明天有时间吗？有时间的话，咱们去外边玩儿玩儿吧。

   B：别提多麻烦(bàn)望

4. A：怎么了？

   B：别提了　　　　　。我的眼镜坏了。

四、用括号中的词语完成对话：

Complete the dialogues using the words in the brackets.

1. A：你们都住在一起　　　　？　　　　　　（都）

   B：我爷爷、奶奶、爸爸、妈妈、哥哥和我。

2. A：你都去过北京的哪些地方吗？　　　　　　（都）

   B：我去过故宫、天坛、长城、北海。

3. A：你周末都去哪儿啊？　　　　　　（都）

   B：星期五晚上玩到很晚才睡觉，星期六起床也很晚，有时候星期六

   去外边玩儿玩儿，星期天复习、预习，准备星期一上课。

4. 我本来以为不会迟到的，谁知还是迟了。　　　　（谁知）

5. 我以为他忘记了，可谁知他昨天病了，来不了了。　　（以为）

6. 那个女演员是世界主角之一。　　　　　　（之一）

五、用"无论"改写下边的句子：

Rewrite the following sentences using "无论".

1. 哪儿都能吃到中国菜。

2. 谁都不喜欢做这样的事情。

3. 你说的那种工作，没有一个地方能找到。

4. 全世界的人都希望和平。

5. 这种食品，放不放糖都很好吃。

6. 没关系，你什么时候有空儿，都可以来玩儿。

六、用本课生词填空：

Fill in the blanks with the new words in this lesson.

1. 每拿到一本书，他总是 <u>从头到尾</u> 看一遍。
2. 听了他讲的笑话，大家都 <u>愉快</u> 地笑了。
3. 每个人都有缺点，不可能有 <u>十全十美</u> 的人。
4. 出国之前，他把 <u>所有</u> 的东西都卖了。
5. 这么晚了，你一个人回去不 <u>害怕</u> 吗？
6. 雨伞在那个地方 <u>没用</u>，因为那儿很少下雨。
7. 上次旅行，他的钱包、护照都弄丢了。后来，一个 <u>好心</u> 人给了他 200 块钱。
8. 考试前应该 <u>放松</u>，别太累了。
9. 昨天晚上他酒喝得太多了，差点儿 <u>吐</u> 了。
10. 因为 <u>半路</u> 堵车，他来晚了 20 多分钟。

会话　Dialogue

一、完成对话：

Complete the dialogue.

A：听说上个星期六你们去长城了，怎么样？

B：_____！

A：来北京以后你都 _____？

B：我已经去了很多地方了，有_____。

A：那给你印象最深的是什么？

B：要说_____。

A：我也觉得这儿是北京最漂亮的地方之一。明天又到星期六了，你有什么打算？

B：_____。

A：可是刚才我听天气预报说明天要下雨。

B：无论_____。

A：好，我也跟你一起去。

二、把课文 3 改成对话。

Change Text 3 into a dialogue.

第 14 课 Lesson Fourteen

体育健身

生 词		**New Words**	

1. 游泳	动	yóuyǒng	to swim
2. 周	名	zhōu	week
3. 蛙泳	名	wāyǒng	backstroke swimming
4. 纪录	名	jìlù	record
5. 运动	名、动	yùndòng	sports; to exercise
6. 受	动	shòu	to receive

7. 足球	名	zúqiú	soccer
8. 倒	副	dào	(indicating an opposite effect)
9. 伤心		shāng xīn	sad
10. 继续	动	jìxù	to continue
11. 太极拳	名	tàijíquán	*taijiquan*, shadow boxing
12. 健康	形、名	jiànkāng	healthy; health
13. 长寿	形	chángshòu	long-lived
14. 好处	名	hǎochu	benefit
15. 随	动	suí	to be in pace with
16. 关心	动	guānxīn	to pay attention to
17. 保持	动	bǎochí	to keep
18. 篮球	名	lánqiú	basketball
19. 乒乓球	名	pīngpāngqiú	table tennis
20. 羽毛球	名	yǔmáoqiú	badminton
21. 激烈	形	jīliè	intense
22. 气功	名	qìgōng	*qigong*
23. 平和	形	pínghé	calm
24. 扭	动	niǔ	to sway
25. 秧歌	名	yāngge	*yangge*, a popular rural folk dance
26. 交谊舞	名	jiāoyìwǔ	social dance
27. 保龄球	名	bǎolíngqiú	bowling
28. 健美操	名	jiànměicāo	aerobics
29. 台球	名	táiqiú	billiards

课 文　Texts

1

左拉：这天真够热的。

飞龙：是啊，热得我饭也吃不下、觉也睡不香。

左拉：下午咱们去游泳吧。

飞龙：好啊，咱们比比，看谁游得快。

左拉：那你肯定没我游得快。[1]

飞龙：是吗？那可不一定。我在国内时，一周要游十个小时。[2]

左拉：这并不能说明我游得没你快。[3]我 100 米蛙泳最好成绩是一分十

秒，是我们学校的纪录！

飞龙：要真是这样的话，你比我游得快多了。[4]

2

汤姆：在你们国家，什么运动最受欢迎？

黄勇：以前是足球，现在不太好说了。

汤姆：为什么？是不是现在的人不喜欢足球了？

黄勇：那倒不是。[5]喜欢足球的人还是很多，可国家队的成绩总是让人

伤心。

汤姆：这说明大家喜欢得还不够。只要你们继续喜欢下去，你们的国家

足球队一定会越来越好。你喜欢什么运动？

黄勇：我以前也喜欢足球，现在我喜欢打太极拳。每天早上都要打半个

小时。

汤姆：在我印象里，打太极拳的都是些中老年人，安安静静的，对健康长

寿很有好处。

黄勇：现在有不少年轻人也喜欢打太极拳。你要是有兴趣，我可以教你。

3

　　随着生活水平的提高，人们越来越关心自己的健康了。[6]保持健康的最好方法就是体育运动。以前，年轻人喜欢篮球、足球、乒乓球、羽毛球、跑步等比较激烈的运动；中老年人喜欢打太极拳、练气功等比较平和的运动。不过最近越来越多的中老年人喜欢扭秧歌、跳交谊舞了；年轻人的兴趣也变得多种多样，保龄球、健美操、台球等等越来越受欢迎。

注　释　Notes

[1] 那你肯定没我游得快。

　　汉语里常用动词"有"、"没有"来表示比较。"A 有/没（有）B＋比较的方面"，意思是在某个方面 A 事物达到（或没达到）B 事物的程度。这种方式的比较多用于否定句和疑问句。例如：

"有" or "没有" is often used to express a comparison in Chinese. The pattern "A 有/没有 B＋the aspect in which the comparison is being made" means that A has (or hasn't) reached the degree which B has reached in a given aspect. This kind of comparison is often used in negative sentences or questions，e. g. ,

① 我没有我姐姐那么喜欢旅游。

② 住学校宿舍没有自己租房子住随便。

③ 这个房间没有那个大。

④ 那个孩子有他妈妈高了。

⑤ 妹妹有姐姐长得漂亮吗？

[2] 我在国内时，一周要游十个小时。

这里的"十个小时"用在动词"游"后边，语法上叫时量补语。时量补语补充说明一个动作或一种状态持续的时间。例如：

"十个小时" here is used after "游" and is called a complement of duration which indicates how long an action or a state lasts，e. g. ，

① 我们休息了两个小时。

② 这场比赛打了三个小时。

动词后边如果有宾语，一般要重复动词。时量补语放在第二次出现的动词后边。例如：

If the verb is followed by an object，the verb is usually repeated. The complement of duration is put after the verb which is repeated，e. g. ，

③ 我找你找了一下午，你去哪儿了？

④ 昨天我写作业写了两个多小时。

如果宾语不是人称代词，时量补语还可以放在动词和宾语中间，时量补语和宾语之间可以加"的"。例如：

If the object isn't a personal pronoun，the complement of duration can be put between the verb and the object，and "的" can be placed between the complement of duration and the object，e. g. ，

⑤ 来中国以前，李钟文学过三个月（的）汉语。

⑥ 上星期六，飞龙他们跳了一夜（的）舞。

注意（NB）： 如果宾语比较复杂时，一般把宾语放在句子前边。例如：

When the object is quite complex，one usually puts the object at the beginning of the sentence，e. g. ，

⑦ 那条新买的裙子她找了一天了，可是还没找到。

[3] 这并不能说明我游得没你快。

"并"用在否定词前边，强调否定。有说明真实情况、否定某种看法的意思。例如：

"并" is used before the word of negation to show emphasis. It is used to explain a true situation and to negate an opinion，e. g. ，

① 我并不知道今天考试。

② 他是四川人，可是并不爱吃辣的。

③ 批评并不是教育孩子的好方法。

[4] 要真是这样的话，你比我游得快多了。

这里的"要"是连词，用于假设复句。

Here "要" is a conjunction used in a hypothetical complex sentence.

（1）表示"如果"的意思，本句就是这种用法。例如：

It means "如果" (if)，as in the example above，e. g. ，

① 你要不来，就给我打个电话。

② 要知道下雨，我就带雨伞来了。

③ 要不是走错了路，我们早到了。

④ 这次旅行要不是遇到一个好心人，他就回不来了。

（2）有时"要"有"如果打算"的意思。例如：

Sometimes "要" means "如果打算" (if one plans to...)，e. g. ，

⑤ 要买就买最好的。

⑥ 要去咱们就早点儿去。

⑦ 你要看名胜古迹，北京就有很多。

[5] 那倒不是。

这里的"倒"在否定句里用来缓和否定的语气，常有反驳、辩解或说明事实的意思。例如：

Here "倒" is used to soften the tone of a negative sentence. It is often used to refute, to defend somebody, or to explain a fact, e. g. ，

① 你说他肯定来？那倒不一定。

② 我倒不是一定让你戒烟，只是让你别在办公室里抽。

[6] 随着生活水平的提高，人们越来越关心自己的健康了。

"随着"表示某个情况是另一个情况发展、变化的原因或条件。例如：

"随着" means that it is because of something or it is under a certain circumstance, a situation develops or changes, e. g. ，

① 随着社会的进步，语言也在发展。

② 随着私人汽车数量的增加，这个城市的空气污染越来越厉害。

③ 比赛场上的情况突然发生了变化，观众的心情也随着紧张起来。

练 习　Exercises

一、看图说话（用"没有"）：

Talk about the pictures using "没有".

1.

2.

3.

二、根据所给材料用时量补语做问答练习：

Make questions and give answers with complement of duration according to the given information.

小明是个中学生，下边是他的时间表：

6:10	起床
6:10～6:40	跑步，锻炼身体
6:40～7:20	读外语
7:20～7:35	早饭
7:35～7:55	坐车去学校
8:00～16:00	上课
16:00～17:00	跟同学一起运动（足球、篮球、乒乓球……）
17:00～17:20	坐车回家
17:20～18:00	跟父母一起准备晚饭
18:00～18:30	晚饭
18:30～19:30	跟家里人一起看电视、聊天
19:30～22:30	学习
22:30	睡觉

例句：他每天回家以后学习多长时间？

他每天在家学习三个小时。

三、用括号中的词语完成句子：

Complete the sentences using the words in the brackets.

1. 下学期＿＿＿＿＿＿＿＿＿＿＿＿＿＿。 （继续）

2. 今天我们＿＿＿＿＿＿＿＿＿＿＿＿＿。 （继续）

3. 小明因为玩儿电脑忘了写作业，＿＿＿＿＿＿。 （受）

4. 这个歌星唱歌好听，相貌也好，＿＿＿＿＿＿。 （受）

5. ＿＿＿＿＿＿＿＿＿＿＿＿＿，他怎么来了？ （并）

6. 我绝对不会跟他结婚，因为＿＿＿＿＿＿＿＿。 （并）

7. 我是听别人说的，＿＿＿＿＿＿＿＿＿＿。 （并）

8. ＿＿＿＿＿＿＿＿＿＿，现在的野生动物越来越少。 （随着）

9. ＿＿＿＿＿＿＿＿＿，人们的生活水平比以前高多了。 （随着）

四、用"比"、"不如"、"没有"说句子：

Make sentences using "比","不如","没有".

1. 坐火车	坐飞机	舒适
2. 我们的宿舍楼	教学楼	高多了
3. 他写汉字	马龙写汉字	好看
4. 他的儿子	桌子	高
5. 我到教室	老师到教室	还早5分钟
6. 走那条路	走这条路	近
7. 飞龙游泳	汤姆游泳	快
8. 我喜欢唱歌	他更喜欢唱歌	

五、用本课生词填空：

Fill in the blanks with the new words in this lesson.

1. 他以前学汉语的时候，每天上6个小时的课，一＿＿＿＿＿要上30个小时的汉语课。

2. 在这次运动会上，没有出现新的＿＿＿＿＿。

3. 不知道为什么，这部电影＿＿＿＿＿到了大家的批评。

4. 听到这个消息，她_____地哭了。

5. 他说病好了以后，他还要_____学习汉语。

6. _____的身体对每个人都是非常重要的。

7. 你得锻炼身体，这对你有_____。

8. 他只_____工作，一点儿也不_____孩子。

9. 昨天晚上的_____比赛非常_____，裁判一共出了三张红牌、七张黄牌。

10. 许多年轻姑娘为了健康、漂亮去练_____。

11. _____着社会的进步，_____的老人越来越多。

会 话　　**Dialogue**

把下边的短文改成对话：

Change the following paragraphs into a dialogue.

（还记得爱珍是哪国人吗？）爱珍的国家是世界上网球水平最高的国家之一。她在国内的时候很喜欢打网球，每个星期六都要打两个小时，所以她的网球打得不错。

现在，中国有越来越多的年轻人喜欢网球运动，张英也想学打网球。爱珍知道以后，就对张英说：我可以教你，只要不怕累，你就一定能学会。

第 15 课 Lesson Fifteen

各有所爱

生 词 **New Words**

1. 红	形	hóng	popular
2. 歌星	名	gēxīng	a singing star
3. 调	名	diào	tune
4. 准	形	zhǔn	correct
5. 打赌		dǎ dǔ	to bet
6. 流行	动	liúxíng	to be popular
7. 输	动	shū	to lose

8.	频道	名	píndào	channel
9.	电视剧	名	diànshìjù	TV play
10.	没劲	形	méijìn	boring
11.	虽说	连	suīshuō	although
12.	结局	名	jiéjú	ending
13.	关键	名、形	guānjiàn	crux; crucial
14.	经过	名、动	jīngguò	process; to go by
15.	浪漫	形	làngmàn	romantic
16.	反正	副	fǎnzhèng	anyway
17.	就是	连	jiùshì	even if
18.	无所谓	动	wúsuǒwèi	It doesn't matter.
19.	做梦		zuò mèng	to daydream
20.	无	动	wú	not
21.	立体声	名	lìtǐshēng	stereo
22.	数字	名	shùzì	digital
23.	如此	代	rúcǐ	so
24.	却	副	què	but
25.	满足	动、形	mǎnzú	to satisfy, to meet; satisfied
26.	口味	名	kǒuwèi	taste
27.	辛苦	形	xīnkǔ	hard
28.	拍	动	pāi	to make (a movie)
29.	轻松	形	qīngsōng	easy

课 文 Texts

1

黄勇：你怎么会喜欢听他的歌呀？真没想到！

张英：怎么了？他可是现在最红的歌星之一，还演了好几部电影呢。

黄勇：他的歌也能受欢迎？真奇怪！他连调都唱不准。

张英：谁说的？[1] 我觉得他的歌挺好听的。

黄勇：我敢跟你打赌，他的歌流行不了三个月。

张英：行，谁输了谁请看电影！

黄勇：先说好了，你别请我看他演的电影。

张英：我请你？你请我吧！

2

老董：换个频道吧，这个电视剧又慢又长，真没劲！

爱人：谁说的，我觉得挺好。你要是不喜欢，就忙你的事儿去吧。

老董：虽说我不怎么看这个电视剧，可我现在就能告诉你故事的结局。[2][3]

爱人：你懂什么呀！关键是看故事发展的经过。你看，这个电视剧多浪漫啊！

老董：浪漫不浪漫我不知道，反正挺慢的，[4] 就是三天不看也知道是怎么回事。[5]

爱人：别说了，别说了，电视里说什么我都没听清楚！

老董：其实，听不听也无所谓。

爱人：我知道了，你是想看你的足球吧？做梦去吧！

3

　　人们的生活越来越丰富多彩了。就拿电影来说吧，从黑白电影发展到彩色电影，从无声电影发展到有声电影再到立体声电影，近几年数字电影越来越流行。可虽说如此，电影却越来越难满足人们的口味。[6]有的电影，导演、演员辛辛苦苦拍出来，却常常受到大家的批评，而有些轻松随便的电影却很受欢迎。[7]想一想，这就像喝酒一样，有人喜欢葡萄酒，有人喜欢啤酒，有人喜欢白酒，每个人的口味都不一样，一部电影不可能让所有的人都满意。你觉得呢？

注 释　　Notes

[1] 谁说的？

"谁说的？"是反问句，表示不同意或否认对方的说法。口语常用。例如：

"谁说的？" is a rhetorical question often used in spoken Chinese indicating one doesn't agree with or denies what the other party said, e. g. ，

　① A：汤姆是咱们学校最高的人。

　　B：谁说的？我认识一个德国学生，比他还高5厘米呢。

　② A：听说你要去英国。

　　B：谁说的？没这事儿。

[2] 虽说我不怎么看这个电视剧，可我现在就能告诉你故事的结局。

"虽说"意思是"虽然"，常跟"可是"、"但是"前后呼应。口语用法。例如：

"虽说" means "虽然", usually echoed by "可是" or "但是", and is used in spoken Chinese, e. g. ，

　① 虽说我现在住的地方离学校比较远，可是房租便宜，环境也不错。

② 在大商场买东西虽说比较贵，但是质量一般不会有问题。

[3] **虽说我不怎么看这个电视剧，可我现在就能告诉你故事的结局。**

"不/没＋怎么＋动词/形容词" 结构

（1）"不/没＋怎么＋动词"，"不（没）怎么" 表示不经常做某事，或做某事时花的时间、精力不多。动词有宾语时，也可以表示数量不多。例如：

"不/没＋怎么＋verb". "不（没）怎么" means that one doesn't often do something, or that one doesn't spend much time or energy in doing it. When the verb has an object, it also means the quantity is small, e.g.,

① 我们平时不怎么联系。

② 上中学时我不怎么参加运动。

③ 这本书我有，不过没怎么看。

④ 这几天老董胃不舒服，一直没怎么吃东西。

（2）"不＋怎么＋形容词"，"不怎么" 的意思是 "不太"，表示程度不深。"不怎么" 后边是 "能"、"会"、"想"、"愿意"、"爱"、"喜欢" 等特殊动词时，也表示程度不深。例如：

"不＋怎么＋adjective". "不怎么" means "不太"（not too...）, indicating that the degree is not high. When a special verb such as "能"，"会"，"愿意"，"爱" or "喜欢"，etc. goes after "不怎么"，it also means that the degree is not high，e.g.，

⑤ 昨天夜里下了一场雨，今天早晨不怎么热。

⑥ 香山主峰——香炉峰还有个名字叫 "鬼见愁"，其实这座山并不怎么高。

⑦ 姑娘们一般不怎么愿意告诉别人自己的年龄。

⑧ 望月性格内向，不怎么爱说话，也不怎么爱笑。

[4] **浪漫不浪漫我不知道，反正挺慢的……**

（1）"反正" 表示虽然条件不同或发生变化，但是某种情况是一定不变的。前边常有 "无论"、"不管"、"不论" 等词或表示正反两种情况的成分。例如：

"反正" means that even if the situation is not the same or has changed, something will not change. Often used in the previous clause are "无论"，"不管" or "不论"，or an element expressing both affirmative and negative situations，e.g.，

① 不管别人去不去，反正我去。

② 老王戒没戒烟我不知道，反正他不敢在爱人面前抽烟。

③ 他没说什么时候来，反正会来的。

（2）"反正"表示坚决肯定的语气，用在特别向别人说明某个事实的时候。例如：

"反正" shows a resolute affirmation and is used when one explains a fact to other people, e. g.,

④ 你要什么我给你带回来吧，反正我要上街。

⑤ 出来了就多玩儿一会儿吧，反正回去也没事。

⑥ 我反正不用，你用吧。

[5] 就是三天不看也知道是怎么回事。

"就是……也……"，用于表示假设的让步复句，强调"也"后边的情况不变。口语常用。"就是"有时可以省略。书面语用"即使"。例如：

"就是……也……" is a construction used in a hypothetical compound sentence of concession. It underlines that the situation stated after "也" doesn't change. It's used in spoken Chinese，sometimes "就是" can be omitted. "即使" is used in written Chinese，e. g.,

① 明天就是下雨，我们也要去香山。

② 这场比赛就是飞龙不参加，我们也能赢。

③ 就是/即使老师也不一定认识这个汉字。

④（就是）冬天他也敢在河里游泳。

[6] 可虽说如此，电影却越来越难满足人们的口味。

副词"却"表示转折。用在主语后边。可以和转折连词"可是"、"但是"同时用。例如：

"却" is a transitional adverb used after the subject. It can be used together with the transitional conjunction "可是" or "但是"，e. g.,

① 大家都在商量周末旅行的事，（可是）他却坐在旁边背生词。

② 昨天天气好你不来，今天天气不好，但是你却来了。

③ 小时候总想长大，（但是）现在却总想回到童年。

[7] 而有些轻松随便的电影却很受欢迎。

连词"而"表示转折，是"然而"、"但是"、"可是"的意思。可以用在形容词、动词、动词短语、句子之间。用于书面语。例如：

"而" is a transitional conjunction having the same meaning as "然而"，"但是" and "可是". It can be used in between adjectives, verbs and sentences in written Chinese, e.g.，

① 这种苹果好看而不好吃。

② 学习外语而不练习口语，是学不好的。

③ 在北京人们已经开始一天的工作，而在纽约人们却开始睡觉。

有时"而"可以和"却"同时用在一个句子里，加强转折的语气。例如：

Sometimes "而" can be used in a sentence together with "却" to emphasize the transition, e.g.，

④ 我每天习惯早睡早起，而我的同屋却喜欢晚睡晚起。

练 习 Exercises

一、用"就是……也……"介绍图中人物：

Give a description of each person in the following pictures using "就是……也……"。

1

2

例如：

望月： 学习非常认真努力　　就是不睡觉，也要做完作业

二、用所给的词或短语完成下边的句子：

Complete the sentences.

1. A：有人说林老师特别厉害。

   B：＿＿＿＿＿＿＿＿＿＿＿＿＿＿。　　　　　（谁说的）

2. A：你的东西这么便宜，是不是假的呀？

   B：＿＿＿＿＿＿＿＿＿＿＿＿＿＿。　　　　　（谁说的）

3. ＿＿＿＿＿＿＿＿＿＿，可是并不凉快。　　　　（虽说）

4. ＿＿＿＿＿＿＿＿＿＿，他给我留下的印象却很深。（虽说）

5. 不同年龄的人对服装颜色的选择也不同，老年人要穿灰的、黑的、

咖啡色的，_____。　　　（而）

　　6. 老董最不喜欢看电视剧了，_____。　　（而）

三、用所给的词语改写句子：

Rewrite the sentences with the words in the brackets.

1. 周先生不经常喝酒。　　　　　　　　　　　　　　　（怎么）
2. 李钟文不太喜欢打篮球。　　　　　　　　　　　　　（怎么）
3. 我们宿舍里的洗衣机不太好用。　　　　　　　　　　（怎么）
4. 就是一个人，我也要去。　　　　　　　　　　　　　（反正）
5. 我不知道他是哪个班的，肯定不是我们班的。　　　　（反正）
6. 我今天要去邮局，帮你把信寄了吧。　　　　　　　　（反正）
7. 没有空调的房间比有空调的房间贵。　　　　　　　　（却）
8. 同样的衣服小商店卖五十块钱，大商场卖一百块钱。　（而）

四、根据所给提示用"反正"完成对话：

Complete each dialogue using "反正" according to the clue.

1. A：这两条路都能到，咱们走哪条？

　　B：（我不认识路）

2. A：你们怎么还在这儿聊天呀？

　　B：（回家没什么事）

3. A：黄勇要是不来，这个会还开吗？

　　B：（今天一定得开）

4. A：昨天学校演电影，我没看成，真可惜。

　　B：（那个电影没意思）

五、选词填空：

Fill in the blanks with the right words.

　　　　而　　却　　倒　　轻松　　放松

1. 虽然天天见面，他们_____从来没说过话。
2. 这家餐厅里灯光柔和，还播放着_____的音乐，环境不错。
3. 写了一下午作业了，出去走走吧，_____一下脑子。
4. 我_____不是觉得式样不好，我是觉得价钱太贵。

5. 李钟文来以前学过一点儿汉语，_____望月一点儿也没学过。

6. 第一次来的人都觉得很好，_____来过多次的人_____
说没什么意思。

六、用本课的生词填空：

Fill in the blanks with the new words in this lesson.

1. 你知道吗？现在中国最_____的歌星明天要来咱们学校。

2. 他新买的手表不太_____，每天慢一分钟。

3. 你敢不敢跟我_____？谁_____谁请客。

4. 这是现在最_____的歌，无论是大人还是小孩都会唱。

5. 比赛前，谁都没想到_____是这样的。

6. 我觉得学好汉语的_____是多说多练。

7. 这件事情的_____还没弄清楚，所以有些话现在还不能说。

8. 这部电影说的是一个_____的爱情故事。

9. 去哪儿_____，关键是那地方要有意思。

10. 有时候孩子的一些要求，父母很难_____。

会 话　　**Dialogue**

根据下边的提示对话：

Make a dialogue according to the given information.

足　球：	乒乓球：
很多人一起玩	两个人玩
一般在室外	一般在室内
球场很大	球台不大
女的很少踢足球	男的、女的都玩
老人很少踢	老人、孩子也玩
足球要求力量和技术	乒乓球的技术要求很高
……	……

第 16 课 Lesson Sixteen
理想的职业

生 词　　**New Words**

1. 报社	名	bàoshè	newspaper office
2. 记者	名	jìzhě	journalist
3. 失业	动	shīyè	to be out of work
4. 辞职		cí zhí	to resign
5. 羡慕	动	xiànmù	to admire
6. 难道	副	nándào	(used to give force to a rhetorical question)

7. 人各有志		rén gè yǒu zhì	Different people have different dreams.
8. 看样子		kàn yàngzi	It seems...
9. 经济	名	jīngjì	economy
10. 答应	动	dāying	to agree
11. 生意	名	shēngyi	business
12. 理想	形、名	lǐxiǎng	ideal
13. 职业	名	zhíyè	profession
14. 收入	名	shōurù	income
15. 不然	连	bùrán	or
16. 愿意	动	yuànyì	to like
17. 同事	名	tóngshì	colleague
18. 领导	名、动	lǐngdǎo	leader; to lead
19. 公布	动	gōngbù	to announce
20. 项	量	xiàng	(a measure word)
21. 调查	动、名	diàochá	to investigate; investigation
22. 尊敬	动	zūnjìng	to respect
23. 顺序	名	shùnxù	order
24. 科学家	名	kēxuéjiā	scientist
25. 教授	名	jiàoshòu	professor
26. 老百姓	名	lǎobǎixìng	ordinary people
27. 知识	名	zhīshi	knowledge
28. 实际	名、形	shíjì	reality; actual
29. 认为	动	rènwéi	to think
30. 多数	名	duōshù	majority

课文　Texts

1

爱　珍：你是做什么工作的？

左　拉：以前我在一家报社工作，是一名记者。

爱　珍：你学习汉语是为了工作？

左　拉：可以说是吧，不过，现在我失业了，来中国之前辞的职。

爱　珍：当记者多好呀，有机会去很多地方，还能认识很多人，多让人羡慕啊。难道你还不满意？[1]

左　拉：人各有志。该我问你了，看样子你还是个大学生吧？[2]

爱　珍：不错，我是学经济的，明年毕业。

左　拉：毕业以后打算做什么工作？

爱　珍：一家公司已经答应要我了，是一家跟中国有生意关系的公司。

2

望　月：你觉得最理想的职业是什么？

李钟文：我觉得没有什么最理想的职业。职业好不好，关键要看两个方面。

望　月：这我还是第一次听说，你跟我说说。

李钟文：工作就是为了生活，因此收入是最关键的，不然的话，再舒服的工作也不好。[3][4]

望　月：难道你愿意为了钱去做没意思的工作？

李钟文：工作有没有意思跟工作内容没什么关系。

望　月：哦？那你说说怎样才有意思。

李钟文：主要是工作环境，这就是我说的第二个方面，比如跟同事的关系、跟领导的关系等等，当然还有自然环境。[5]

3

　　前天电视里公布了一项调查结果：中国现在最受尊敬的职业是哪些？按照顺序是：科学家、大学教授、教师、医生、记者……可见，在老百姓心里"知识"很重要。[6] 可是，人们实际选择职业的时候，"最受尊敬的职业"不一定是"最理想的职业"。一般人还是认为收入高是最重要的，所以大学毕业生在选择职业时，多数人不愿意当老师或大夫，他们更愿意到收入比较高的公司里去工作。

注 释　Notes

[1] 难道你还不满意？

　　"难道"用于反问句，加强反问语气。可以用在主语前边，也可以用在主语后边。句子末尾可以用"吗"。例如：

　　"难道" is used in a rhetorical question for emphasis. It can be put both before and after the subject. At the end of the sentence one can add "吗", e.g.,

　　① 办公室里不准抽烟，你难道不知道吗？

　　② 你怎么不去帮助他？他难道不是你的朋友？

　　③ 难道流行什么就一定要买什么吗？

[2] 看样子你还是个大学生吧？

　　"看样子"，口语习惯用语，是"看情况"的意思，表示从某种可见的情况猜测、估计。常用于具体事情，"看"和"样子"之间可以插入其他成分。例如：

　　"看样子" is an expression used in spoken Chinese, meaning "看情况". It is used when making a guess or an estimation based on some situation that can be seen. It is often used to refer to a specific matter. Other elements can be added between "看" and "样子", e. g. ,

① 天阴了，看样子要下雨。

② 这么晚了，看样子他不会回来了。

③ 他看样子有 70 岁了。

④ 看他的样子好像一点儿也不着急。

[3] 不然的话，再舒服的工作也不好。

"不然"意思是"如果不这样"，表示如果不出现前边提到的情况，就可能发生下边的事情。可以跟"的话"一起用。

"不然" means "如果不这样" (otherwise) indicating if the situation mentioned above does not arise，something to be mentioned below will be likely to happen. It can be used with "的话".

（1）后边是表示结果的句子。例如：

Introducing a sentence expressing a result，e. g. ,

① 赶快睡吧，不然明天早晨该起不来了。

② 你告诉他吧，不然他要急死了。

（2）后边是另一种可能或可选择的情况。"不然"前边可以加"再"。例如：

Introducing another possibility or another choice. Before "不然" one can add "再"，e. g. ,

③ 老王可能在办公室或者会客室，再不然就在洗手间。

④ 报名的事你可以打个电话问问，不然你自己跑一趟也行。

[4] 再舒服的工作也不好。

"再＋形容词（短语）＋……也……"，表示的意思是"无论多么……也……"。整个句子强调"也"后边的情况不变。例如：

"再＋adjective (adjectival phrase) ＋……也……" means "无论多么……也……(no matter how)". The whole sentence emphasizes that the situation mentioned after "也" doesn't change，e. g. ,

① 天气再热，我们也得上课。

② 他的歌再好听，我也不听。

"再＋形容词（词组）"后边可有被修饰的名词。例如：

Nouns with modifier can go after "再＋adjective (adjectival phrase)", e. g.，

③ 再多的生词我也能记住。

④ 老董最近胃不舒服，再好吃的东西也吃不下去。

[5] 当然还有自然环境。

"当然"表示对上文加以补充。插入语，可以省略。例如：

"当然" is used when adding something to what was said before. It is a parenthesis and can be omitted，e. g.，

① 学习汉语一定要写汉字、背生词，当然练习说话也很重要。

② 吃饺子应该有醋，当然再加点儿辣椒就更好了。

③ 现在大部分饭馆、商店的服务态度都不错，当然还有些地方让人不太满意。

④ 明天的球赛你最好参加，当然你不参加我们一样可以比赛。

[6] 可见，在老百姓心里"知识"很重要。

"可见"，多用于承接上文，表示根据前边所说的情况可以得出下边的结论。例如：

"可见" is often used to connect the preceding text，meaning what was said before can lead to the following conclusion，e. g.，

① 刚学的生词就忘了，可见没认真学。

② 老师讲一遍就懂了，而且能记住，可见他很聪明。

③ 这个牌子的电冰箱一上市就卖完了，可见很受大家欢迎。

练 习　　Exercises

一、用"看样子"介绍下边这三个人：

Describe the three people in the picture using "看样子".

二、看图完成对话：

Complete the dialogue according to the picture.

（老董一家逛商场）

爱人：你看，这件衣服好看不好看？

老董：好看是好看，就是_____。

爱人：只要好看就行，再_____也_____。

老董：这种烟_____。

小明：我们老师说了，抽烟对身体不好，所以再_____也

_____。

爱人：对，今天说什么也不给他买！小明，你想要什么？

小明：我想买个游戏卡，听说这种特别好玩，我_____。

老董：不行！你看你现在_____，再_____也_____。

三、根据提示用"不然"完成对话：

Complete each dialogue according to the clue using "不然".

1. A：你怎么这么早就睡了？

   B：（明天早晨 7:00 去机场）

2. A：小张，明天我们去颐和园，你去吗？

   B：（去，但是小王也一定得去）

3. A：咱们怎么去？

   B：（坐出租车不会迟到）

4. A：小明现在怎么不来玩游戏了？

   B：（父母生气，父母不让）

四、选词填空：

Fill in the blanks with the right words.

以为　认为　回答　答应　可见　因此

1. 今天的作业里有好几个问题都不好_____。

2. 我原来_____他还没结婚，谁知孩子已经三岁了。

3. 电影还没演完，就有不少人走了，_____这部电影不怎么好看。

4. 王老师_____明天跟同学们一起去香山玩。

5. 同学们都_____这部电影不错，就是声音不太清楚。

6. 我们班大多数人都去过故宫，_____我们决定不去参观故宫，去看看自然博物馆和天坛。

五、用括号中的词语完成句子：

Complete the sentences with the words in the brackets.

1. 故宫是中国最有名的古迹之一，_____。 （当然）

2. 那家饭店的服务态度越来越好，_____。 （当然）

3. 这是昨天刚学的，_____？ （难道）

4. 别说了，他连父母的话都不听，_____？ （难道）

5. _____，只要自己努力，你也能成功。 （羡慕）

6. 逛商场时，会看到各种各样的新产品，可是，如果对自己没什么用，_____。 （再……也……）

7. 孩子小的时候父母一定要好好教育，_____。 （不然）

8. 连这么容易的句子都说错了，_____。 （可见）

六、用本课的生词填空：

Fill in the blanks with the new words in this lesson.

1. 比赛结束后，他没有回答_____的问题就走了。

2. 前几年他们国家的经济状况不太好，_____的人很多。

3. 他不喜欢现在的工作，可是他也不想_____，因为现在工作不好找。

4. 在这次奥林匹克运动会上，我们国家的成绩不太_____。

5. 在一些国家，演员、运动员的_____是最高的。

6. 谁都不_____做又累又麻烦、收入也低的工作。

7. 这件事并不简单，得好好_____一下。

8. 虽然他现在已经成为名人了，但他还是非常_____他的老师。

9. 报纸上说的跟我们了解的_____情况一点儿也不一样。

10. 在那个时候，大_____人都不相信地球是圆的。

会 话　　**Dialogue**

根据下边的提示对话：

Make a dialogue according to the given information.

（周明四年前从大学毕业）

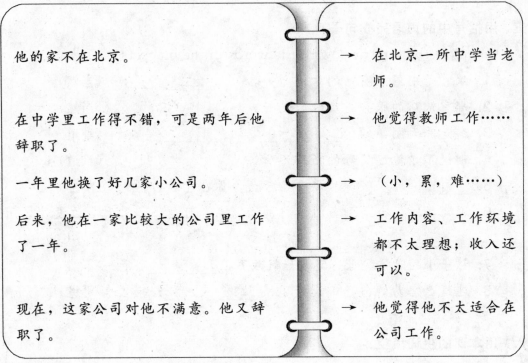

他的家不在北京。	→ 在北京一所中学当老师。
在中学里工作得不错，可是两年后他辞职了。	→ 他觉得教师工作……
一年里他换了好几家小公司。	→ （小，累，难……）
后来，他在一家比较大的公司里工作了一年。	→ 工作内容、工作环境都不太理想；收入还可以。
现在，这家公司对他不满意。他又辞职了。	→ 他觉得他不太适合在公司工作。

他想找个理想工作，你能帮助他吗？

第 17 课 Lesson Seventeen

业余爱好

生词　　　New Words

1. 爱好	动、名	àihào	to be fond of; hobby
2. 节目	名	jiémù	program
3. 谈不上		tán bu shàng	far from being
4. 闲	形	xián	free
5. 假日	名	jiàrì	holiday

6. 世界	名	shìjiè	world
7. 各	代	gè	each
8. 集邮		jí yóu	to collect stamps
9. 套	量	tào	set (a measure word)
10. 精美	形	jīngměi	beautiful
11. 收藏	动	shōucáng	to collect
12. 本	代	běn	native, one's own
13. 人物	名	rénwù	people
14. 动物	名	dòngwù	animal
15. 主要	形	zhǔyào	main
16. 由于	连	yóuyú	because
17. 增长	动	zēngzhǎng	to increase
18. 存(钱)	动	cún(qián)	to save
19. 划算	动	huásuàn	to be to one's profit or benefit
20. 于是	连	yúshì	so
21. 一天到晚		yì tiān dào wǎn	from dawn to dusk
22. 聊	动	liáo	to chat
23. 聊天儿		liáo tiānr	to chat

课 文　Texts

李钟文：汤姆，你都有什么爱好？

汤　姆：我除了爱看足球以外，没什么别的爱好。

李钟文：原来你是个球迷，怪不得你总是看足球节目。

汤　姆：难道你不爱看足球吗？

李钟文：爱看谈不上，闲着没事的时候也看看。[1]

汤　姆：那你的爱好是什么？

李钟文：我最大的爱好是在假日去旅行，只要有钱、有时间，我就要去旅行。

汤　姆：我要是有钱、有时间的话，我就去世界各地看足球比赛！

2

爱　珍：智子，你是什么时候迷上集邮的？

望　月：8岁生日的时候，爸爸送我一套精美的邮票，从那时起，我就开始集邮了。[2]

爱　珍：那你集邮已经十几年了，一定收藏了很多邮票吧？

望　月：那还用说！本国的，外国的；人物的，花草动物的……各种各样的都有。

爱　珍：你为什么会迷上集邮呢？

望　月：主要是由于集邮能让人心情愉快，[3]除此以外，集邮还能增长许多知识。[4]你不觉得集邮很有意思吗？

爱　珍：有意思是有意思，只是我觉得花钱太多了。

望　月：这话你只说对了一半，集邮跟存钱是一样的，而且比存钱更划算。

3

现在电视里的节目越来越丰富，特别是电视剧，多得看不完！于是就出现了许多电视（剧）迷。[5]他们一天到晚看电视、聊电视、想电视。只要有时间就坐在电视机前。跟别人聊天儿的时候，除了电视剧还是电视剧。[6]我想，每个国家都有这样的人，而且会越来越多，这是由于现在电视剧越来越多。不过也有人说，是由于电视迷越来越多，电视剧才越来越多的。不知道你是不是个电视迷？

注 释　　Notes

[1] 爱看谈不上，闲着没事的时候也看看。

"谈不上"意思是没有达到某种水平或程度。表示某种水平程度的词语，可以作"谈不上"的主语或宾语。例如：

"谈不上" means not reaching a level or a degree. The word or phrase indicating the level or degree can be used as the subject or object of "谈不上", e. g.,

① 天才谈不上，他就是脑子比较快。

② 这套房子豪华谈不上，不过住着的确很舒服。

③ 我经常看足球比赛，不过谈不上是个球迷。

④ 这个牌子的产品，价格谈不上便宜，质量也谈不上最好。

[2] 从那时起，我就开始集邮了。

"从……起"表示从某一时间或方位开始。后边可以用"到"。例如：

"从……起" means from one time or a place. After it one can put "到", e. g.,

① 从 1990 年起，他一直住在北京。

② 从明天起，李钟文要锻炼身体了。

③ 这座楼从三层起到十层，都租出去了。

④ 从这儿起再往前，路就不太好走了。

[3] 主要是由于集邮能让人心情愉快。

"由于"表示原因。

"由于" is used to express a reason.

（1）作状语，"由于"引导的成分可以在主语前，可以在主语后。例如：

The element introduced by "由于" functions as an adverbial and can be put both before and after the subject, e.g.,

① 我们的旅行计划由于各种原因，不得不改变。

② 由于工作关系，老王要去一趟云南。

（2）用在前一个句子，后一个句子开头可以用"所以"、"因此"、"因而"与它相呼应。例如：

"由于" is used in the first clause and the second clause can begin with "所以"，"因此"，"因而"，e.g.,

③ 由于得到了专家的帮助，所以我们的研究工作进行得很顺利。

④ 由于大家的意见不一致，因此问题总也得不到解决。

（3）用在句子后一部分时，常用"是由于……"的格式。例如：

When "由于" is used in the latter part of the sentence, the structure often used is "是由于……"，e.g.,

⑤ 他今天没上课是由于他生病了。

⑥ 汉语越来越热是由于中国在世界上的地位越来越重要。

[4] 除此以外，集邮还能增长许多知识。

"除此以外"意思是除了前边说的情况或事物以外。也可以说成"除此之外"、"此外"。例如：

"除此之外" means besides the things or situations mentioned before. It can be replaced by "除此之外" or "此外"，e.g.,

① 爷爷特别爱下象棋，除此以外，没有别的爱好。

② 安娜的英语、法语都很好，除此之外，还会说一点儿日语。

③ 爱珍喜欢唱京剧，此外，对相声也很感兴趣。

[5] 于是就出现了许多电视（剧）迷。

"于是"用于承接复句，表示后边的情况接着前边的情况发生，后边的情况是前边的情况引起的。常用在主语前，也可以用在主语后。例如：

"于是" is used in compound sentences indicating succession. It means that the situation to be mentioned later follows the one mentioned before; and the situation to be mentioned later is caused by the one mentioned before. "于是" is often put before or after the subject, e.g.,

① 小明考试没考好，很难过，于是妈妈决定星期天带他去动物园放松一下。

② 大家这么一鼓励，飞龙于是又有了信心。

③ 他认为那个工作不理想，于是没接受。

[6] 跟别人聊天儿的时候，除了电视剧还是电视剧。

"除了 A 还是 A"，表示只有"A"这么一种情况或事物，没有变化，显得单调。例如：

"除了 A 还是 A" means that A is the only case without any change and it is very dull and boring, e. g.,

① 一天到晚除了学习还是学习，你也不出去玩儿玩儿？

② 吃完晚饭老董除了看报纸还是看报纸，别的什么也不干。

③ 我现在的感觉是除了热还是热，真想来一大杯冰激凌。

练 习　Exercises

一、看下边的图，讨论为什么这儿的车开得特别慢？试试用上"由于"、"除此以外"等词语。

Discuss why there is a traffic jam in the picture. Try to use "由于"，"除此以外"，etc.

二、**完成句子**（注意本课所学词语的用法）：

Complete the following sentences（pay attention to the usage of the words and expressions learned in this lesson）.

1. 他虽然没听懂，可是看见大家都笑了，＿＿＿＿＿＿。　　　　（于是）

2. ＿＿＿＿＿＿＿＿，他的视力一天不如一天。　　　　（由于）

3. ＿＿＿＿＿＿＿＿，不过闲着的时候也玩儿玩儿。　　（谈不上）

4. ＿＿＿＿＿＿＿，他每天下午都去校园散散步。　　（从……起）

5. ＿＿＿＿＿＿＿＿＿＿，于是他也买了一本。

6. ＿＿＿＿＿＿＿＿＿＿，是由于现在的环境越来越差。

7. ＿＿＿＿＿＿＿＿＿＿，根本谈不上拿手。

8. 从第一次看见她起，＿＿＿＿＿＿＿＿＿＿。

三、**完成对话**：

Complete the dialogues.

1.

A：＿＿＿＿＿＿＿＿＿＿＿＿＿（熟悉）？

B：那还用问吗？＿＿＿＿＿＿＿＿＿（同屋）。

A：听说＿＿＿＿＿＿＿＿＿＿（京剧）。是吗？

B：那还用说！她来学汉语就是由于＿＿＿＿＿。

A：那你问问她，结业晚会上，＿＿＿＿＿＿＿吗？

B：＿＿＿＿＿＿＿＿＿＿！

2.

A：听说＿＿＿＿＿（电脑迷），是真的吗？

B：迷谈不上，不过，＿＿＿＿＿＿＿。

A：我听老王他们说，你现在对电脑很精通（jīngtōng, to be proficient in）。

B：精通＿＿＿＿，只是＿＿＿＿＿＿（感兴趣）。

A：你太谦虚了，我有个问题要向你请教（qǐngjiào, to ask for advice）。

B：＿＿＿＿＿，如果我知道，我＿＿＿＿。

3.

A：请问，你是从什么时候起对中国问题感兴趣的？

B：_____（15 岁,爸爸……），从那时起，我就_____。

A：现在的中国给你的印象怎么样？

B：我 1985 年来中国，从那时起，_____。

四、用"除此以外"、"除了……还是……"完成句子：

Complete the sentences using "除此以外" or "除了……还是……".

1. 刚到这儿的时候，我谁也不认识，也没有一个朋友，所以每天

_____。

2. 那个地方只有一个寺庙，_____。

3. 老董对中国历史很有研究，_____。

4. 这本书有汉语拼音，不太难，_____。

5. 他的家真像个小图书馆，_____。

五、用本课的生词填空：

Fill in the blanks with the new words in this lesson.

1. 老董从小就_____京剧，不过_____是个戏迷。

2. 我们学校很大，学生来自全国_____地。

3. 她在一家公司工作，有的时候很忙，有时很_____。

4. 老董的爱人是个打字员，_____坐在打字机前。

5. 喜欢_____的人很多，我们班望月就喜欢。

6. 学校给留学生安排旅游，_____是为了帮助他们了解中国。

7. 很多中国菜做得就像_____的艺术品。

8. 这附近有_____自行车的地方吗？

9. 这个电影里的主要_____都是有名的演员演的。

10. 几个人在办公室_____，一_____就是一下午。

会 话　**Dialogue**

用以下材料做对话练习：

Make a dialogue according to the given information.

每次出去参观、游览的时候，爱珍都把门票收藏起来。要是别的同学出去玩儿，爱珍也总是从他们那儿把门票要来。原来爱珍爱好收藏各种门票。现在她有世界各地的精美门票。

羽毛球是印度尼西亚的国球，林福民喜欢看，也喜欢打羽毛球。来中国以后，只要天气好，不刮风下雨，他每天都要打一个小时。而且通过打羽毛球，他还交了两个中国朋友，练习了汉语。

第 18 课 Lesson Eighteen
中国家庭

生 词		**New Words**	
1. 嗬	叹	hē	oh
2. 全家福	名	quánjiāfú	a photograph of the whole family
3. 像	动	xiàng	to resemble
4. 长	动	zhǎng	to look，to grow
5. 几乎	副	jīhū	almost
6. 根本	副	gēnběn	at all

7. 认	动	rèn	to recognize
8. 去世	动	qùshì	to pass away
9. 唯一	形	wéiyī	only
10. 做主		zuò zhǔ	to decide
11. 互相	副	hùxiāng	each other
12. 拿主意		ná zhǔyi	to make a decision
13. 注意	动	zhùyì	to pay attention to
14. 平常	名、形	píngcháng	as usual; ordinary
15. 幸福	形	xìngfú	happy
16. 否则	连	fǒuzé	or
17. 家庭	名	jiātíng	family
18. 人口	名	rénkǒu	number of people in a family, population
19. 照顾	动	zhàogù	to take care of
20. 然而	连	rán'ér	but
21. 方面	名	fāngmiàn	side
22. 另	代	lìng	other
23. 同	形	tóng	same
24. 矛盾	名、形	máodùn	contradiction; conflicting
25. 节奏	名	jiézòu	tempo
26. 逐渐	副	zhújiàn	gradually
27. 减少	动	jiǎnshǎo	to decrease
28. 增多	动	zēngduō	to increase

课 文　Texts

1

飞　龙：嗬！这么多人，都是你们家的人吗？

李钟文：那可不，这是我们家的全家福。

飞　龙：这个人是你爱人吗？

李钟文：哪儿啊，这是我叔叔的爱人。这是十年前照的照片，旁边是我
　　　　叔叔。

飞　龙：你跟你叔叔长得太像了，几乎完全一样。[1]那你在哪儿啊？

李钟文：这个是我。那时我还是个中学生。

飞　龙：不像，一点儿也不像！假如你不告诉我的话，我根本认不出
　　　　来。[2][3][4]你身边的这位老人一定是你奶奶吧？

李钟文：对。就在那年冬天，她去世了。这是我们家唯一的一张全
　　　　家福。

飞　龙：哦，对不起。

2

左　拉：我问你件事儿，行吗？

李钟文：什么事儿呀？

左　拉：在你们家谁做主？

李钟文：你是想知道我跟我爱人谁听谁的，对吧？跟你说吧，我们有事
　　　　都是互相商量。

左　拉：那商量的时候，常常是谁拿主意呢？

李钟文：这还真没注意过，可能是我爱人拿主意的时候多吧。在你们
　　　　家呢？

左　拉：我们家平常主要是我妈妈做主，有大事的时候大家一起商量。

李钟文：我认为假如所有的丈夫都能听妻子的，那家家都会幸福快乐，
　　　　否则就会有麻烦。[5] 你同意吗？

3

　　以前，中国的家庭人口很多，总是热热闹闹的，大家互相关心、互相照顾。有好吃的，大家一起吃；有困难的话，大家一起来帮忙。可以说没有解决不了的问题。然而这只是一方面，[6] 另一方面，[7] 大家庭里人多，各人的想法、爱好都不同，所以矛盾也很多。

　　现在人们的生活节奏越来越快，人们的思想、生活态度变化也很大。大家庭逐渐减少，小家庭逐渐增多，特别是在大城市里，几乎都是两口人或三口人的小家庭。

注 释　　Notes

[1] 你跟你叔叔长得太像了，几乎完全一样。

　　"几乎"表示非常接近某个数量或某种程度，是"差不多"的意思。"几乎"后边常有"都"、"全"、"完全"、"遍"等词语一起出现。例如：

　　"几乎" means very close to a quantity or degree. It is equivalent to "差不多". After "几乎" one often uses "都", "全", "完全", "遍", etc. , e. g. ,

　① 我们学校几乎每个人都认识飞龙。

　② 奶奶的头发几乎全白了。

　③ 几乎查遍了所有的字典也没找到这个字。

　④ 汤姆几乎比李钟文高一头。

[2] 假如你不告诉我的话，我根本认不出来。

"假如"用于假设复句，意思是"如果"。例如：

"假如" is used in hypothetical compound sentences，meaning "如果" (if)，e. g.，

① 假如你能想出更好的办法，我们就听你的。

② 假如你不愿意听大家的意见，就得不到大家的支持。

③ 假如他不接受你的道歉，就是他的不对了。

[3] 我根本认不出来。

这里的"根本"是副词，意思是"完全"、"始终"、"从头到尾"，常用于否定句。例如：

Here "根本" is an adverb，meaning "完全" (at all)，"始终" or "从头到尾" (from the beginning to the end). It is often used in a negative sentence，e. g.，

① 你说什么呀？我根本不明白。

② 我劝了他半天，可是他根本不听。

[4] 我根本认不出来。

"认不出来"中的"出来"是趋向补语的引申用法。

In "认不出来"，"出来" is used as a complement of direction in an extended sense.

（1）表示某种情况或事物（原来就有的）随着动作的进行从不明显到明显。例如：

It indicates that some situation or something changes from indistinction to distinctness with the progression of an action，e. g.，

① 那个字我查出来了，念"diāo"（叼）。

② 谁也看不出来这张画儿画的是什么。

③ 老师说了五个谜语，望月猜出来三个。

（2）某种情况或事物（原来没有的）随着动作的进行从没有到有。例如：

It indicates that some situation or something changes from inexistence to existence with the progression of an action，e. g.，

④ 晚饭我都做出来了，吃完了再走吧。

⑤ 下星期要开汉语演讲会，请同学们星期五以前把演讲稿写出来。

⑥ 这些衣服明天洗得出来吗?

[5] 假如所有的丈夫都能听妻子的,那家家都会幸福快乐,否则就会有麻烦。

"否则"表示对前边说过的情况做假设的否定,有"如果不是这样"、"不然"、"要不"的意思。可以跟"的话"一起用。例如:

"否则" shows a hypothetical negation of something mentioned before. It means "如果不是这样","不然","要不" (if not, otherwise). It can be used with "的话",e. g.,

① 学过的生词要经常复习,否则很快就会忘掉。

② 他一定有急事,否则不会接连打来三个电话。

③ 看样子他不同意,否则的话,为什么他一句话也不说?

[6] 然而这只是一方面……

"然而"意思是"但是",用于书面语。例如:

"然而" is equivalent to "但是". It is used in written Chinese,e. g.,

① 试验失败了很多次,然而他们并没有失去信心。

② 工作很累,条件也很差,然而大家都很开心。

[7] 然而这只是一方面,另一方面……

"一方面……,(另)一方面……",用于并列复句,表示两种或两种以上的做法、原因或目的、条件或结果同时存在。例如:

"一方面……,(另)一方面……" is used in a coordinate compound sentence. It means that two or more ways (of doing things), reasons or aims, conditions or results exist at the same time,e. g.,

① 老师一方面肯定了同学们的成绩,一方面指出了大家的不足。

② 一方面由于土质的原因,另一方面由于气候的原因,不同地区出产的
   苹果味道不同。

③ 大家一方面要努力学习,一方面要注意锻炼身体。

练 习　　Exercises

一、看图，根据提示说说图中人物是怎么想的：

Tell what each of the people in the picture is thinking about according to the clues.

"假如现在有了 10 万块钱……"

老王　　　　　　老王的爱人　　　　　老王的儿子

老董　　　　　　老董的爱人　　　　　老董的儿子

二、用"一方面……，另一方面……"完成对话：

Complete the dialogue using "一方面……，另一方面……".

1. A：你能说说你为什么来中国吗？

B：_____

2. A：老王为什么看起来不高兴？

B：_____

3．A：好像大家都喜欢去那个饭馆吃饭，怎么回事？

B：_____

4．A：你为什么学汉语？

B：_____

5．A：你说他为什么不住有空调的房间？

B：_____

三、用括号中的词语改写句子：

Rewrite the sentences using the words in the brackets.

1．你必须努力学习，不然的话就考不上大学。 （否则）

2．有借书证才能从图书馆借书，没有的话，不能借书。 （否则）

3．有医生的处方才能买药，没医生的处方不能随便买药。 （否则）

4．学生有事不能上课，应该向老师请假。 （假如）

5．我要是没有记错的话，左拉是意大利人。 （假如）

6．可惜黄勇个子不够高，不然就当篮球运动员了。 （假如）

四、用括号中的词语完成句子：

Complete the sentences using the words in the brackets.

1．A：昨天参加婚礼的人多吗？

B：_____。 （几乎）

2．A：你怎么这么早就睡了？

B：昨天晚上我们去唱歌，_____。 （几乎）

3．A：昨天请客点了那么多菜，剩下没有？

B：_____。 （几乎）

4．左拉从来没去过内蒙古，_____。 （根本）

5．望月学习的时候非常专心，_____。 （根本）

6．这只是一种营养食品，不是药，_____。 （根本）

7．李钟文打网球的技术并不高，_____。 （然而）

8．虽然我们在一起的时间不长，_____。 （然而）

五、选择填空：

Fill in the blanks with the right given phrases.

　　认出来　看出来　想出来　听出来　做出来　洗出来

1. 我_____了，这张画儿上画的是几条鱼。

2. 老董的爱人打扮得几乎连老董都_____不_____了。

3. 那天在香山照的照片都_____了。

4. 这个裁缝店的生意特别好，活儿比较多；所以慢一点儿，一般一个月才能_____。

5. 有的人方言（fāngyán，dialect）很重，一说话，别人就能_____他是哪儿的人。

6. 别着急，一定能_____好办法_____。

六、用本课生词填空：

Fill in the blanks with the new words in this lesson.

1. 你看这孩子吃得满脸都是奶油和巧克力，看起来_____只花猫。

2. 几年不见，小明已经_____大了。

3. 他们家有六个孩子，她是_____的女儿。

4. 那家商店电视机打八折，今天是最后一天了，买不买，快点儿_____。

5. 你们公司买汽车的事谁_____啊？

6. 这两个孩子一见面就_____看着对方，谁也不说话。

7. 这件衣服的款式太_____了，没有特点。

8. 奶奶年纪大了，需要人_____，黄勇就搬到奶奶那儿去了。

9. 我们班有两个老师，一个姓周，_____一个姓张。

10. 左拉跟同屋相处得很好，一点儿_____也没有。

11. 飞龙_____习惯了这儿的生活。

12. 小刘说最近忙得连理发的时间都没有了，他跟女朋友约会的次数不但没有_____，反而_____了。

会 话 **Dialogue**

根据提示跟你的朋友介绍这两个中国家庭：

Give a description of the two Chinese families according to the given information.

- 张英家有四口人：爸爸、妈妈、哥哥和张英。
- 张英的哥哥结婚了，有自己的家，不跟父母住在一起。
- 张英的哥哥脾气非常好，所以家里的事一般都是他拿主意。不过要是有大事，还是大家一起商量。
- 张英长得既像爸爸又像妈妈，非常漂亮。
- 上个周末，张英他们全家照了一张全家福。

张英一家

- 老董一家有三口人：他、他爱人、儿子小明。

- 老董的爱人很能干，家里的家务差不多都是她一个人做，而老董几乎从来不做。

- 小明学习不错，放学回家还帮着做点儿家务，所以父母都很喜欢他。

- 在家里，老董听他爱人的（在中国把这样的男人叫"妻管严"）；他爱人听孩子的；孩子听老董的。你说有没有意思？

- 不过，他们一家生活得很幸福。

老董一家

第 19 课 Lesson Nineteen

看望病人

生 词　　**New Words**

1. 胳膊	名	gēbo	arm
2. 倒霉		dǎo méi	unlucky
3. 透	形	tòu	extremely
4. 楼道	名	lóudào	corridor
5. 摔跤		shuāi jiāo	to fall down

6. 发烧		fā shāo	to have a fever
7. 拉肚子		lā dùzi	to have diarrhea
8. 严重	形	yánzhòng	serious
9. 要紧	形	yàojǐn	serious
10. 养	动	yǎng	to nurse (one's wounds)
11. 伤	名、动	shāng	wound；to hurt
12. 小说	名	xiǎoshuō	novel
13. 代表	动、名	dàibiǎo	to represent；representative
14. 看望	动	kànwàng	to visit
15. 开(药)	动	kāi(yào)	to write out (a prescription)
16. 复杂	形	fùzá	complicated
17. 服	动	fú	to have (medicine)
18. 寂寞	形	jìmò	lonely
19. 交	动	jiāo	to make (friends)
20. 收获	名、动	shōuhuò	gains；to harvest
21. 爱惜	动	àixī	to cherish
22. 咳嗽	动	késou	to cough
23. 鼻涕	名	bítì	nasal mucus，snot
24. 丸	名	wán	pill
25. 甚至	副	shènzhì	even
26. 治	动	zhì	to cure

课文　Texts

1

爱珍：汤姆，你的胳膊怎么了？

汤姆：真是倒霉透了！[1]昨天晚上回去，楼道里的灯坏了，结果爬楼梯
　　　时摔了一跤，把胳膊摔断了。[2]

爱珍：今天上课时听说你住院了，我还以为是发烧、拉肚子什么的，没
　　　想到这么严重。现在觉得怎么样？

汤姆：真疼啊，除了疼还是疼。

爱珍：大夫怎么说？得住多长时间？

汤姆：大夫说不要紧，住一两个星期就能出院了。

爱珍：你好好养伤，可别着急。[3]明天我给你拿几本小说来。

汤姆：多谢。别忘了把课本也给我带来。

2

望月：汤姆，我们代表全班同学来看望你。这是同学们给你买的水果
　　　和鲜花。

汤姆：谢谢，谢谢！其实再过两天我就出院了。

望月：怎么样？现在还疼吗？

汤姆：好多了，不像开始几天那么疼了。

望月：大夫都给你开了些什么药？

汤姆：这药可复杂了。有内服的，有外用的；有中药，也有西药；有的
　　　要饭后服，有的要睡前服。

望月：真够麻烦的。你每天除了吃药就是休息，不寂寞吗?[4]

汤姆：还行，精神好的时候看看小说，念念生词。对了，我还交了几个
护士朋友，她们对我很关心，陪我聊天儿，教我汉语。

望月：真没想到，你在医院里收获也这么大。

3

　　有些中国人看病吃药的方法让飞龙弄不明白。一方面，中国人好
像非常爱惜自己的身体。一咳嗽、流鼻涕什么的就吃药，不管是中药
还是西药，也不管是药水、药片还是药丸，是药就吃。[5]但另一方面，
又好像一点儿也不爱惜自己。知道自己生病了，甚至知道病很严重，
也不是去医院找大夫，而是自己去药店买药，[6][7]根本不管买的药能
不能治自己的病，也不怕对身体有其他影响。这种情况让他感到很难
理解。

注释　　Notes

[1] 真是倒霉透了！

　　"透了"表示程度深，有"极了"的意思。用在形容词、动词后边，一般表示贬
义。例如：

"透了" means the degree is high and is equivalent to "极了" (extremely). It is
used after adjectives or verbs usually with a derogatory sense, e.g.,

① 事情真是糟透了，我把护照弄丢了。

② 这种骗人的行为我恨透了。

③ 昨天碰见的那个人不讲理透了。

[2] 楼道里的灯坏了，结果爬楼梯时摔了一跤，把胳膊摔断了。

"结果"表示某个情况最终引起了另一情况发生。用在句子最前边。例如：

"结果" indicates one situation has finally resulted in the happening of the other. It is put at the very beginning of a sentence, e.g.,

① 他跟女朋友吵了架，又不肯去道歉，结果他们分手了。

② 路上堵车，出租车开得很慢，结果我们没赶上火车。

[3] 你好好养伤，可别着急。

副词"可"在口语中常用，起加强语气作用。

"可", an adverb, is often used as an emphasis in spoken Chinese.

(1) 用于陈述句，"可＋动词"、"可＋不/别/没＋动词"、"可＋不＋形"。例如：

In declarative sentences. It can be used in the following forms："可＋verb"，"可＋不/别/没＋verb" or "可＋不＋adjective", e.g.,

① 我可知道老董的脾气，要做什么就一定要做好。

② 这种地方我可不去。

③ 你可别后悔。

④ 我可没做过这种事。

⑤ 这件事可不简单。

(2) 用在反问句前边。例如：

Before rhetorical questions, e.g.,

⑥ 北京这么大，只知道名字，但没有地址，可到哪儿去找啊？

⑦ 这么多东西，一个孩子可怎么搬得动呢？

(3) 用于祈使句，"可＋要/应该/不能"。例如：

In imperative sentences. The structure is "可＋要/应该/不能", e.g.,

⑧ 你可要好好休息，按时吃药。

⑨ 这个展览，你可应该去看看。

⑩ 你可不能忘了老朋友。

(4) 用于感叹句，"可……了/呢/啊"。例如：

In exclamatory sentences. The structure is "可……了/呢/啊", e.g.,

⑪ 安娜汉语说得可流利了！

⑫ 学汉语可真不容易啊！

⑬ 今天的鱼可新鲜呢！

[4] 你每天除了吃药就是休息，不寂寞吗？

"除了……就是……"表示总是交替地做两件事中的一件，或两种情况交替出现，有"缺少变化"、"单调"的意思。例如：

"除了……就是……" indicates always doing two things in turn, or two situations appear alternately. It means "缺少变化"，"单调" (the situation lacks changes and is very dull), e.g.,

① 这几天天气糟透了，除了刮（guā, to blow）风就是下雨。

② 每天下午，我除了上课就是去图书馆，一般不出去。

[5] 是药就吃。

"是……就……"意思是"只要是……就……"。"是"后边一般不是一个表示具体的人或物的名词，应该是表示某一类人或物的名词。例如：

"是……就……" means "只要是……就……" (as long as). The noun put after "是" usually does not refer to a specific person or thing. It is a generic noun of person or thing, e.g.,

① 现在在北京好像是个饭馆就能吃到四川菜。

② 羊肉、狗肉、马肉、兔肉……他是肉就吃。

③ 在我们那儿，是个人就会唱歌。

[6] 知道自己生病了，甚至知道病很严重，也不是去医院找大夫……

"甚至"在说明某一事实时，强调突出的事例，说明即使在这种情况下也不例外。后边常有"也"、"都"。例如：

"甚至" is used to emphasize an outstanding case in order to explain something. It indicates there is no exception even under such a circumstance. After it one often uses "也"，"都"，e.g.,

① 这首歌很流行，年轻人会唱，孩子们会唱，甚至老人也会唱。

② 要经过长时间的甚至是痛苦的训练，才可能成为一个体育明星。

③ 老王讲的笑话可笑极了，望月甚至笑出了眼泪。

[7] 也不是去医院找大夫，而是自己去药店买药。

"不是……而是……"，用于并列复句。例如：

"不是……而是……" is used in a coordinate compound sentence, e.g.,

① 他每天不是想着怎么学习，而是想着怎么玩儿。

② 弟弟摔倒了，哥哥不是赶快过去扶他起来，而是站在旁边笑。

③ 好成绩不是从天上掉下来的，而是努力学习得到的。

④ 他不是不知道，而是不想告诉我们。

练 习　**Exercises**

一、看图说话（用上"结果"）：

Look and say using "结果".

1.

2.

3.

4.

二、用括号中的词语改写句子：

Rewrite the sentences with the words in the brackets.

　　1. 妹妹什么流行歌曲都喜欢。　　　　　　　　（是……就……）

　　2. 我们学校的学生都听过这个故事。　　　　　（是……就……）

　　3. 广东人好像所有的动物都敢吃。　　　　　　（是……就……）

　　4. 我根本没说过不喜欢跟你一起去。　　　　　（可）

　　5. 爱珍非常会做中国菜。　　　　　　　　　　（可）

　　6. 汽车走到半路没油了，去哪儿找加油站呀？　（可）

　　7. 我最恨说谎的人。　　　　　　　　　　　　（透了）

　　8. 每天背生词，没意思极了。　　　　　　　　（透了）

　　9. 小明的考试成绩太糟了。　　　　　　　　　（透了）

三、根据提示用"不是……而是……"造句：

Make sentences with "不是……而是……" according to the clues.

例如：装文具　　　　　　　玩儿

　　　孩子们买这种文具盒，不是为了装文具，而是为了玩儿。

1. 回家　　　　　　　　去网吧
2. 向顾客介绍商品　　　骗顾客买一件东西
3. 吃饭　　　　　　　　谈生意
4. 看书　　　　　　　　睡觉
5. 看电影　　　　　　　约会
6. 为了别的　　　　　　为了减肥

四、用括号中的词语完成句子：

Complete the sentences using the words in the brackets.

1. 左拉会说好几种语言，＿＿＿＿＿＿＿＿＿＿。　　　　　（甚至）
2. 安娜特别喜欢看小说，一看起来＿＿＿＿＿＿。　　　　　（甚至）
3. 他们俩长得几乎完全一样，不但朋友们常常认错，＿＿＿＿＿＿。
   　　　　　　　　　　　　　　　　　　　　　　　　　　（甚至）
4. 老董不爱逛公园，在北京住了一辈子，＿＿＿＿＿＿。　（甚至）
5. 小张可是我们班最努力的学生，＿＿＿＿＿。（除了……就是……）
6. 现在的电视剧没什么意思，＿＿＿＿＿。　（除了……就是……）

五、用本课生词填空：

Fill in the blanks with the new words in this lesson.

1. 骑到半路自行车坏了，只好推着车走，真＿＿＿＿＿。
2. 老董不在，你要是找他有＿＿＿＿＿事，就留个纸条吧。
3. 周教授有＿＿＿＿＿的心脏病，只好回家＿＿＿＿＿病。
4. 一位农民救了一只受＿＿＿＿＿的白天鹅。
5. 左拉不论到哪儿，都能＿＿＿＿＿上新朋友。
6. 老王要去南方，＿＿＿＿＿公司谈一笔生意。
7. 周教授住院了，每天都有很多同事和学生去＿＿＿＿＿他。
8. 大夫，我感冒了，＿＿＿＿＿、流＿＿＿＿＿，您给我＿＿＿＿＿
   点儿药吧。
9. 有病要去找医生，不能自己乱＿＿＿＿＿药。

10. 你整天一个人呆在家里，难道不＿＿＿＿＿吗？

11. 学习这一个月我的＿＿＿＿＿很大。

12. 中医＿＿＿＿＿病的方法一般都比西医简单。

13. 奶奶眼睛看不见，我们担心她＿＿＿＿＿，所以她出门的时候总要
有一个人陪着她。

会 话　　**Dialogue**

看下边的图根据提示对话：

Look at the following pictures and talk about them with a friend according to
the clues.

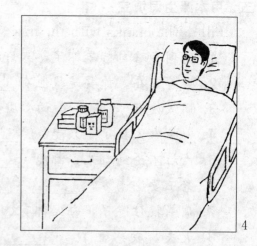

"今天早上我去上课，……"

大夫说："没什么事，……"

第 20 课 Lesson Twenty
生活习惯

生 词　New Words

1. 都	副	dōu	already
2. 懒	形	lǎn	lazy
3. 重要	形	zhòngyào	important
4. 哎	叹	āi	hey
5. 片子	名	piānzi	movie
6. 规律	名	guīlǜ	regularity，pattern
7. 紧张	形	jǐnzhāng	intense

8. 准时	形	zhǔnshí	on time
9. 早晨	名	zǎochen	morning
10. 新鲜	形	xīnxiān	fresh
11. 做操		zuò cāo	to do exercises
12. 非…不可		fēi…bùkě	must
13. 恐怕	副	kǒngpà	I'm afraid…
14. 躺	动	tǎng	to lie
15. 早起		zǎo qǐ	to get up early
16. 午睡	动、名	wǔshuì	to take a siesta; siesta
17. 之后	名	zhīhòu	after
18. 之前	名	zhīqián	before
19. 左右	名	zuǒyòu	about
20. 只好	副	zhǐhǎo	to have to
21. 影响	动、名	yǐngxiǎng	to disturb; disturbance
22. 也许	副	yěxǔ	perhaps
23. 夜生活	名	yèshēnghuó	night life

课文　Texts

张英：喂，是黄勇吗？

黄勇：谁呀？星期六也不让人好好休息。

张英：我是张英。都十点半了，还睡懒觉啊？[1] 快起来吧，我请你看电
　　　影去。

黄勇：对我来说，现在睡觉可比看电影重要得多。[2]哎，什么电影？

张英：我也不清楚，别人送的票，说是最新片子。

黄勇：我昨晚去外边玩儿了，今天早上四点多才回来。

张英：像你这样生活没有规律，对身体一点儿好处也没有。我爷爷每天五点起床，九点睡觉，现在身体特别好。

黄勇：这我也知道，可紧张了一个星期，一到周末就想放松放松。

2

老董：真羡慕你呀，身体这么好。你以前可不是这个样子，哎，你是不是吃什么药啦？

老王：没吃什么药，就是生活有规律了，以前我早上爱睡懒觉，现在每天六点钟准时起床。

老董：那么早？你起得来吗？

老王：怎么起不来？早晨空气新鲜，散散步、做做操，一天都有精神。

老董：那你晚上几点睡觉？

老王：十点半。一到时间，非睡不可。[3]再好的电视也不看。

老董：我睡得可比你晚多了，一点以前能睡就算早的了。[4]

老王：那晚的呢？

老董：恐怕我躺下的时候，你已经在散步了。[5]

3

早起与午睡是很多中国人的生活习惯，特别是午睡，对有些人来说，就像吃饭一样重要。

很多人在午饭之后，下午上班之前，一定要休息一个小时左右。

离家近的，回家休息；离家远的，回不了家，就只好在办公室里随便休息一会儿，[6]反正非得午睡不可。

因此，去看望中国朋友，最好不要中午去。影响别人休息多不好啊！

早起是一个好习惯，然而现在越来越多的人早起不了。也许是由于工作紧张、夜生活丰富等原因吧。

注 释　　Notes

[1] 都十点半了，还睡懒觉啊？

"都"在这里是"已经"的意思，表示已经达到某种程度或数量。句子末尾要用"了"。例如：

Here "都" means "已经" (already). It shows something having reached some degree or quantity. At the end of the sentence one must add "了", e. g.,

① 天都黑了，孩子怎么还不回来？

② 她都 40 岁了，可不年轻了。

③ 这个菜太辣了，辣得我眼泪都流出来了。

④ 你都工作了，怎么能要爸爸妈妈的钱呢？

[2] 对我来说，现在睡觉可比看电影重要得多。

"对……来说"表示从某人或某事的角度看问题。例如：

"对……来说" means from one's point of view or from some angle, e. g.,

① 汉字对日本学生来说不太难。

② 翻译这篇文章，对你来说很容易，对我来说可太难了。

③ 对一个孩子来说，你说的话很难懂。

④ 对企业来说，质量就好像是生命。

[3] 一到时间，非睡不可。

"非……不可"表示一定要这样，"非"后常有"要"、"得"。除了"不可"以外，后边还可以说"不行"、"不成"。"非"后边一般是动词，也可以用句子或指人的名词、代词。例如：

"非……不可" means having to be this way, so after "非" one often uses "要"，"得". "不可" can be replaced by "不行"，"不成". "非" is usually followed by a verb, but it can also be followed by a sentence, a personal noun or a personal pronoun, e. g.,

① 左拉想说什么就非说不可。

② 我们让他在家里好好休息，可他非要去不可。

③ 要想请老王来，非老董不可。

④ 要想哄孩子睡觉非妈妈唱歌不可。

[4] 一点以前能睡就算早的了。

"算"，认作；当做。后边可以用"是"。例如：

"算" means to consider or to take as. "是" can be used after it, e. g.,

① 这几天不算热。

② 裁判，他打我，算不算犯规？

③ 他只是按摩师，不能算是大夫。

[5] 恐怕我躺下的时候，你已经在散步了。

"恐怕"表示估计、猜测，有"大概"、"也许"的意思。作状语。例如：

"恐怕" indicates an estimation or a guess, meaning "大概"，"也许" (probably)，functioning as an adverbial, e. g.,

① 下大雨了，运动会恐怕开不成了。

② 这两个国家的矛盾越来越大，恐怕要断交了。

③ 你恐怕还不知道吧，老董当总经理了。

[6] 就只好在办公室里随便休息一会儿……

"只好"表示没有别的办法，只有一种选择。作状语。例如：

"只好" means no other choice but just one solution is available. It is used as an adverbial, e. g.,

① 去新疆的计划大家都反对，只好算了。

② 汤姆病了，今天下午的比赛只好飞龙去了。

③ 因为有大雾，飞机只好推迟起飞。

④ 同学们刚来，听汉语不太习惯，老师只好讲得慢一点儿。

练 习　　**Exercises**

一、看图说话：

Look and say.

1. 用"对……来说"：

Use "对……来说".

(1)

望月：汉语发音真难！　　　爱珍：汉字太难了！

(2)

左拉：考多少分都行！

（3）

身体最重要

（4）

不一样的美食

2. 用"只好"：
   Use "只好".

（1）

（2）

（3）

（4）

你太胖了！

二、用"算"完成对话：

Complete the dialogues using"算".

1. A：你们国家夏天热不热？

   B：＿＿＿＿＿＿＿＿＿＿＿＿＿。

2. A：你每天晚上睡得是不是特别晚？

   B：＿＿＿＿＿＿＿＿＿＿＿＿＿。

3. A：你怎么买这么贵的衣服呀？

   B：＿＿＿＿＿＿＿＿＿＿，还有更贵的呢。

4. A：昨天你帮我买的那本书多少钱？

   B：别给钱了，＿＿＿＿＿＿＿＿＿＿＿。

5. A：你觉得这家饭馆怎么样？

   B：＿＿＿＿＿＿＿＿＿＿＿＿＿。

三、用括号中的词语改写句子：

Rewrite the sentences with the words in the brackets.

1. 今天晚上我就是不睡觉也要把作业写完。　　　　　　（非……不可）

2. 这台电视机的毛病除了刘师傅别人都修不了。　　　　（非……不可）

3. 我说什么他们都不信，一定要见我们经理。　　　　　（非……不可）

4. 每次老王见到左拉都要请他吃饭，左拉不去他就会生气。

　　　　　　　　　　　　　　　　　　　　　　　　（非……不可）

5. 天阴了，可能要下雨。 （恐怕）

6. 这么晚了，我担心汤姆不来了。 （恐怕）

7. 客人不太多，这么多菜大概吃不了。 （恐怕）

8. 昨天老王没来，可能不知道今天开会。 （恐怕）

四、用括号中的词语完成句子：

Complete the sentences using the words in the brackets.

1. _____，你怎么还睡懒觉呢？ （都）

2. 没想到_____，看起来像三十多岁。 （都）

3. _____，商店早关门了，到哪儿去买呀？ （都）

4. 许先生这个星期没空儿，你要见他_____。 （最好）

5. 这几件衣服我急着穿，_____。 （最好）

6. 我们的货不多了，你买不买？_____。 （最好）

7. 今天黄勇家的电话一直占线，_____。 （也许）

8. 望月房间的灯没亮，_____。 （也许）

9. 汤姆个子很高，_____。 （左右）

五、用本课生词填空：

Fill in the blanks with the new words in this lesson.

1. 大熊猫吃饱了就睡，可真够_____的。

2. 对我来说，考试成绩不太_____。

3. 动物、植物都是按照一定的_____生长的。

4. 学生几乎都怕考试，一考试就_____。

5. 明天八点出发去长城，请大家_____到楼前集合。

6. _____空气_____，所以去公园锻炼的人特别多。

7. 爷爷每天五点_____起床，早饭_____去公园打太极拳，早饭_____练习书法，中午_____一个小时。

8. 飞龙最近总觉得不舒服，可是大夫说他没病，_____是受了天气的_____。

会话　**Dialogue**

"早睡早起身体好。"

"早吃饱、午吃好、晚吃少。"

"饭后百步走，活到九十九。"

"白菜豆腐保平安。"

"三分饥寒保平安。"

"春捂秋冻，老了没病。"

"千金难买老来瘦。"

"人老腿先老。"

"百练不如一走。"

这些都是中国人关于健康长寿的俗话，查一查词典，弄清楚它们是什么意思。张英很相信这些说法，黄勇不太相信。他们常常争论。做一个张英、黄勇争论这个问题的对话。

Above are some Chinese proverbs on health and longevity. Look them up in a dictionary. Zhang Ying believes in them but Huang Yong doesn't, so they often argue with each other. Make a dialogue about their argument.

第21课 Lesson Twenty-one
看比赛

生 词		**New Words**	
1. 场	量	chǎng	(a measure word)
2. 赢	动	yíng	to win
3. 出线		chū xiàn	to qualify for the next round of competitions
4. 除非	连	chúfēi	unless
5. 退	动	tuì	to return
6. 开赛	动	kāisài	to start a game
7. 转播	动	zhuǎnbō	to relay

8. 现场	名	xiànchǎng	locale
9. 气氛	名	qìfēn	atmosphere
10. 来不及	动	láibují	It's too late.
11. 白	副	bái	for nothing
12. 慢镜头	名	mànjìngtóu	slow motion
13. 与其	连	yǔqí	rather than
14. 尽力		jìn lì	to try one's best
15. 偏	副	piān	just
16. 信	动	xìn	to believe
17. 道德	名	dàodé	ethics
18. 精彩	形	jīngcǎi	wonderful
19. 淘汰	动	táotài	to eliminate
20. 组	量	zǔ	group (a measure word)
21. 强	形	qiáng	strong
22. 超级	形	chāojí	super
23. 联赛	名	liánsài	league matches
24. 通过	介、动	tōngguò	by means of, by; to pass
25. 有关	动	yǒuguān	to relate
26. 著名	形	zhùmíng	famous
27. 俱乐部	名	jùlèbù	club
28. 体育场	名	tǐyùchǎng	stadium

课 文　Texts

1

黄勇：今天这场球谁赢了谁就能出线，非看不可。

张英：可是票全卖完了，咱们进不去呀。除非有人退票。[1]

黄勇：那就在门口等会儿吧，说不定真有退票的。

张英：离开赛还有三四个小时，要不回去看电视转播吧。

黄勇：看电视哪有现场的气氛呀！

张英：到时候要是等不着票，再想看电视也来不及了。[2]

黄勇：那倒也是，要是白等半天，还不如回去看电视呢。[3][4]回去吧！

张英：再说，看电视比现场清楚得多，还有慢镜头，多好呀！

2

黄勇：真没劲！有的队员根本不像是在比赛，倒像是在散步。

张英：就是。与其看这样的比赛，还不如在家看看书、聊聊天儿呢。[5]

黄勇：以后再也不看这两个队的比赛了。[6]

张英：我早跟你说过，他们都出线了，肯定不会尽力踢的。可你偏不信。[7]

黄勇：我以为他们都是职业运动员，应该讲职业道德。

张英：等第二阶段开始，比赛肯定会精彩激烈的。

黄勇：那当然了，淘汰赛嘛，到时候谁输谁就得回家。

张英：再说，出线的队差不多都是各组的强队。

黄勇：我们过两天再来看吧。

3

　　汤姆无论如何也没想到，在中国也能看到英国的超级联赛。特别是看到他喜爱的球队时，就别提多高兴了。而且通过足球，他还认识了不少中国朋友，学了不少汉语，特别是一些有关足球的词，他觉得特别有意思。

　　下个周末，英国的一个著名的俱乐部队要来北京比赛，汤姆想，无论票多么贵，也要买。而且到时候，他还要请他的中国朋友一起去体育场看这场比赛。

注 释　　Notes

[1] 除非有人退票。

　　"除非"用在条件复句里，强调只有在这个条件下才能产生或得到某种结果。后边常有"才"、"否则"等词语。例如：

　　"除非" is used in a conditional compound sentence. It emphasizes that some result can be brought about only under this circumstance. "才"，"否则"，etc. often appears in the latter clause, e. g.，

　　① 除非戒烟，才能治好你的病。

　　② 除非有重要的事，他才会请假。

　　③ 除非下雨，否则篮球赛照常进行。

　　④ 除非总经理亲自去请他才会来，否则他绝对不来。

[2] 到时候要是等不着票，再想看电视也来不及了。

　　"到时候"表示到将来需做某事或会出现某种结果的时候。作状语。例如：

　　"到时候" means at a future time when one needs to do something or when some result is produced. It is used as an adverbial，e. g.，

　　① A：你们走的时候可别忘了叫我。

　　　　B：放心吧，到时候一定叫你。

② 快考试了，还天天玩儿，到时候又该担心不及格了。

③ 我一定要在这一个月里学会唱京剧，到时候唱给你们听。

[3] 那倒也是，要是白等半天，还不如回去看电视呢。

"那倒也是"表示同意对方的看法。例如：

"那倒也是" indicates one agrees with the other party, e. g. ,

① A：骑车带人，要是让警察看见就麻烦了。

B：那倒也是，我不带你了。

② A：大家都去旅行，你一个人留在宿舍多没意思呀。

B：那倒也是，我也去吧。

[4] 要是白等半天，还不如回去看电视呢。

"白"，副词，表示动作没有达到目的或没有效果。作状语。例如：

"白" is an adverb and means not having achieved one's aim or any result. It is used as an adverbial, e. g. ,

① 白逛了半天，什么也没买着。

② 你说也是白说，他听不懂汉语。

③ 老董还是那么胖，减肥药都白吃了。

[5] 与其看这样的比赛，还不如在家看看书、聊聊天儿呢。

"与其 A，不如 B"，表示对 A、B 进行比较之后选择 B，不选择 A。例如：

"与其 A，不如 B" means one chooses B instead of A after having compared the two, e. g. ,

① 与其说他们是竞争对手，不如说他们是朋友。

② 这些东西与其放着不用，不如送给"希望工程"。

③ 天这么热，与其跑那么远去食堂，还不如在宿舍吃方便面。

[6] 以后再也不看这两个队的比赛了。

"再也不/没……"表示永远不重复，永远不做了。例如：

"再也不/没……" means never to do something again, e. g. ,

① 这个饭馆又贵又难吃，我以后再也不来了。

② 妈妈，我错了，我再也不骗人了。

③ 他走了以后，就再也没有消息了。

注意（NB）："不再"和"再也不"的区别。"不再"也表示不重复或不继续某个动作或行为，可以是永远性的，也可以是在较短的时间里的。"再也不"一般不能用于较近的将来，语气更强。例如：

The difference between "不再" and "再也不"。"不再" means not to repeat or continue an action or a behavior forever or in a short period of time。"再也不" is not usually used when talking about a case in the near future and has a stronger tone，e. g.，

④ 我明天不再（×再也不）来了。

⑤ 从今以后，我们不再和你们联系。

[7] 可你偏不信。

"偏"表示故意跟客观情况或别人的要求相反。后边常有"要"、"不"。例如：

"偏" means to act against the objective situation or other people's wishes on purpose。After it one often puts "要"，"不"，e. g.，

① 不让他喝酒，他偏要喝，结果喝醉了。

② 玻璃是你打破的，你怎么偏说是弟弟打的呢？

③ 我们想逗那孩子笑，可是她偏不笑。

注意（NB）："偏"跟"偏偏"的区别。表示主观上故意跟客观要求相反时多用"偏"，表示客观事实跟主观愿望相反时多用"偏偏"。例如：

The difference between "偏" and "偏偏"。When expressing the idea of acting against the objective needs on purpose，one often uses "偏"。When showing the reality is opposite to the subjective wishes，one often uses "偏偏"，e. g.，

④ 原打算今天登长城，偏偏今天下起了大雨，那就明天去吧。

⑤ 今天阴天，可能有小雨，可马龙偏要今天爬香山。

练习　　Exercises

一、看图说话：

Look and say.

用"白"：

Use "白"。

1.

2.

3.

风一刮头发又乱了

二、用括号中的词语或短语完成对话：

Complete the dialogues with the words in the brackets.

1. A：你们要去云南旅行，可别忘了我呀。

   B：放心吧，_____。 （到时候）

2. A：最好提前几天订票，我怕_____。 （到时候）

   B：不用，现在票好买。

3. A：我下个月结婚，_____。 （到时候）

   B：太好了，我一定去。

4. A：现在几点了？我六点半在长城饭店有个约会。

   B：已经快六点了，_____。 （来不及）

5. A：早上六点的火车，得早点出发，_____。 （来不及）

   B：早晨不堵车，五点半出发就行。

6. A：不行了，已经七点五十了，_____。 （来不及）

   B：谁让你睡懒觉呢？

7. A：这车挤死了。

   B：我说骑车，_____。 （偏）

8. A：刚买的空调就坏了，真气人！

   B：我说别买这种牌子的，_____。 （偏）

三、用括号中的词语完成句子：

Complete the sentences with the words in the brackets.

1. _____，客人都没来。 （白）

2. 今天银行休息，_____。 （白）

3. 一件旗袍一般半个月才能做好，_____。 （除非）

4. 他几乎从来不喝酒，_____。 （除非）

5. 妈妈给孩子买了店里最贵的蛋糕，可是_____。 （偏）

6. 家里人不让奶奶一个人出门，可是_____。 （偏）

7. 我不太懂法律，_____。 （有关）

8. 人的心情好坏_____。 （有关）

四、用括号中的词语改写句子：

Rewrite the sentences with the words in the brackets.

1. 他骗了我好几次了，以后我不会相信他了。　　（再也不）

2. 没想到重庆火锅这么辣，我可不敢再吃了。　　（再也不）

3. 大学毕业以后我们一直没见过小许。　　　　　（再也没）

4. 老王参加体育锻炼以后没得过病。　　　　　　（再也没）

5. 从北京去天津，坐火车不如坐汽车。　　　（与其……，不如……）

6. 我觉得在家里休息比看一个没意思的电影好得多。

（与其……，不如……）

7. 大家都说这两个运动员是对手，其实说他们是朋友更合适。

（与其……，不如……）

8. 这些东西质量太差，我就是什么都不买，也不买这些。

（与其……，不如……）

五、用本课生词填空：

Fill in the blanks with the new words in this lesson.

1. 昨天那_____比赛哪个队_____了？

2. 中国的足球联赛每年四月_____，十月结束。

3. 看足球的话，看电视_____比去_____看得清楚。

4. 别人的话要好好想一想，可不能听别人说什么你都_____。

5. 这张电影票没人要，你去把它_____了吧。

6. 考试结束了，学校里的_____显得非常轻松。

7. 踢假球是一种不_____的行为。

8. 今天的比赛谁输了谁就要被_____，所以这场比赛一定很_____。

9. 口语课上老师经常让同学们两个人一_____做会话。

10. 现在世界上哪个篮球队最_____？

11. _____收藏邮票可以了解很多知识。

12. 天坛祈年殿是世界上最_____的古代建筑之一。

会 话　**Dialogue**

阅读下面的短文，然后做对话练习：

Read the passage, then make a dialogue.

　　星期天下午，有一场北京队对大连队的足球比赛。小张和小王排了五个小时的队才买着两张票。

　　这场比赛非常精彩。上半场，大连队踢得比较好，先进了一个球；北京队一直没有什么特别好的进球机会。下半场开始后，虽然北京队踢得比上半场好，但比分一直是一比零。可是，就在下半场快结束的时候，大连队的 10 号受伤，被换下了场。一会儿，北京队 8 号传了一个好球，15 号把球踢进了，把比分变成了一比一。两个队打加时赛，结果北京队的 15 号又接到 8 号传来的球，一脚踢进了球门。比赛结束，北京队二比一赢了。

　　赛后，小张觉得，要是大连队的 10 号不受伤，他们就不会输了。小王觉得，就是 10 号不受伤，大连队也不一定能赢，因为大连队本来就不如北京队强。两个人都认为北京队的表现很好，特别是 15 号和两次给他传球的 8 号。

1. 跟你的朋友介绍一下这场比赛。
2. 做对话（小张跟小王）练习，评论这场比赛。

第 22 课 Lesson Twenty-two
春夏秋冬

生 词　New Words

1. 受不了		shòu bu liǎo	can't bear
2. 预报	动	yùbào	to forecast
3. 火炉	名	huǒlú	stove
4. 一来…二来…		yīlái…èrlái…	firstly... secondly...
5. 值得	动	zhíde	to be worth

6.	风景	名	fēngjǐng	scenery
7.	气温	名	qìwēn	temperature
8.	围	动	wéi	to surround
9.	四季	名	sìjì	four seasons
10.	季节	名	jìjié	season
11.	暖和	形	nuǎnhuo	warm
12.	如	动	rú	to be like
13.	滑雪	动	huáxuě	to ski
14.	乐趣	名	lèqù	joy
15.	登	动	dēng	to climb
16.	周围	名	zhōuwéi	surrounding
17.	可惜	动、形	kěxī	It's a pity...; pitiful
18.	寒冷	形	hánlěng	cold
19.	盼望	动	pànwàng	to look forward to
20.	风沙	名	fēngshā	sand blown by the wind
21.	睁	动	zhēng	to open
22.	到处	副	dàochù	everywhere
23.	不停		bù tíng	endless
24.	不得不		bù dé bù	to have to
25.	伞	名	sǎn	umbrella
26.	至于	介	zhìyú	as for

专 名　Proper Names

1. 武汉	Wǔhàn	(name of a city)
2. 长沙	Chángshā	(name of a city)
3. 重庆	Chóngqìng	(name of a city)
4. 东北	Dōngběi	Northeast China
5. 桂林	Guìlín	(name of a city)
6. 新疆	Xīnjiāng	Xinjiang
7. 吐鲁番	Tǔlǔfān	Turpan

课 文　Texts

飞龙：昨天下了场雨，今天凉快多了。再不下雨就受不了了。[1]

黄勇：可不是吗。在我印象里，北京的夏天从来没这么热过。

飞龙：不过，我看了天气预报，好像北京还不是最热的，武汉、长沙才
　　　是最热的。[2]

黄勇：南方都比较热，其中长江边的上海、南京、武汉、重庆被人们叫
　　　做"四大火炉"。[3]

飞龙：等学习结束，我打算去东北旅游。一来那儿有不少名胜古迹，二
　　　来那儿也不太热。[4]

黄勇：其实，我觉得有个地方，虽然很热，但是特别值得去。

飞龙：是桂林吧？我早就听说桂林的风景特别美。

黄勇：不是，是新疆的吐鲁番。那儿白天的气温一般都在40℃以上，
　　　而晚上的气温在10℃左右，你可以围着火炉吃西瓜。

2

飞龙：春夏秋冬四季里，你最喜欢哪个季节？

望月：我希望夏天凉快点儿，别太热；冬天暖和点儿，别太冷。

飞龙：那就没有四季了，恐怕也没意思了。

望月：四季如春多好啊！

飞龙：不对，这就像吃东西一样，再好吃的东西，天天吃也会腻的。

望月：那你最喜欢什么季节呢？

飞龙：春天的花草树木，秋天的蓝天白云能带给人好心情；而夏天游泳，
     冬天滑雪也能给人带来很多乐趣。所以，一年四季我都喜欢。

望月：对了，你好像说过，你滑雪滑得不错。

3

秋天是北京最好的旅游季节，气温不高不低。要是登上长城，往
周围一看，山上的花草树木，红的、黄的、绿的都有，好看极了。可
惜秋天太短，冬天很快就来了。[5] 在寒冷的冬天里，人们都盼望着春
天。不过，北京的春天风沙太大，有时吹得人连眼睛都睁不开。

春天的上海到处是绿树红花，景色美极了。但是，五、六两个月
总是不停地下雨，有时一两个星期都不得不打着伞出门儿，人的心情
也会受影响。[6]

至于冬天和夏天，有人说在北京过好，有人说在上海过好。[7] 你认为呢？

注　释　　Notes

[1] 再不下雨就受不了了。

"再……就……"表示如果某种情况继续或重复出现，会引起某种后果。"再"可

以跟"要是"、"如果"、"……的话"一起使用，例如：

"再……就……" is used to express if some situation continues or appears again, some result will arise. "再" can be used together with "要是"，"如果" and "……的话", e.g.,

　① 大雨再不停就要闹水灾了。

　② 你再不努力就考不上大学了。

　③ 你如果再开玩笑，我就生气了。

　④ 他再不回来的话，宿舍就要锁门了。

[2] 武汉、长沙才是最热的。

"才" 在这里起强调作用。

"才" here is used for emphasis.

(1)"才＋是"，表示"只有这个是，别的不是"。例如：

"才＋是" means "只有这个是，别的不是" （Only this one is... others are not...）, e.g.,

　① 学习才是学生应该做的。

　② 这不是我的，那辆红车才是我的呢。

(2)"才＋形容词/（不）动词＋呢"，例如：

"才＋adjective/（不）verb＋呢", e.g.,

　③ 你这坏习惯改不掉，那个姑娘会和你交朋友才怪呢。

　④ 小明那孩子才聪明呢。

　⑤ 那个地方一点儿也不好玩儿，我才不去呢。

　⑥ 让我演坏蛋，我才不干呢。

[3] 南方都比较热，其中长江边的上海、南京、武汉、重庆被人们叫做"四大火炉"。

"其中"，意思是"那里面"，指范围。只能单用，不能用在其他名词后边。例如：

"其中" means "among", indicating the scope. It can only be used independently and can not be used after other nouns, e.g.,

　① 这个班有十五个学生，其中六个是北京人。

　② 北京有很多名胜古迹，其中故宫是最有名的。

　③ 他在中国生活了三十年，其中有二十年住在上海。

[4] 一来那儿有不少名胜古迹，二来那儿也不太热。

"一来……，二来……"，用于并列复句，说明两个或两个以上的原因、目的。例如：

"一来……，二来……" is used in a coordinate compound sentence to state two or more reasons or aims, e. g. ,

① 老王对西安特别有感情，一来那儿是历史名城，二来他在那儿工作过很多年。

② 老人想跟孩子们住在一起，一来能帮他们做点儿家务，二来自己也能得到照顾。

③ 咱们买台电脑吧，一来写文章方便，二来能辅导孩子学习，三来可以上网查资料。

[5] 可惜秋天太短，冬天很快就来了。

"可惜" 意思是让人觉得惋惜、遗憾。

"可惜" indicates feeling sorry or regrettable.

（1）用作动词，可带小句宾语。例如：

Used as a verb and can be followed by an object clause, e. g. ,

① 今天我又去了那家服装店，可惜我喜欢的那件衣服已经卖出去了。

② 昨天的球赛可精彩了，可惜你没看着（zháo）。

（2）用作形容词，可作谓语。例如：

Used as an adjective to function as a predicate, e. g. ,

③ 这么多菜吃不了就扔了，太可惜了。

④ 新买的车丢了，真可惜。

[6] 有时一两个星期都不得不打着伞出门儿，人的心情也会受影响。

"不得不"，惯用语，语气比 "只好" 更强，表示采取某一做法不是出于本人心愿，而是为情势所迫，除了这么做没有别的办法。例如：

"不得不" is an idiomatic expression and has a stronger tone than "只好", meaning one does something not because he wants to, but because he is forced to, e. g. ,

① 没有找到房子，行李不得不存在朋友那儿。

② 同屋最讨厌烟味儿，我不得不到外面去抽烟。

③ 别人都很忙，走不开，不得不让新来的小李去一趟了。

[7] **至于冬天和夏天，有人说在北京过好，有人说在上海过好。**

"至于"用于引出新的话题。用在分句的开头。例如：

"至于" is used to introduce a new topic and is placed at the beginning of a clause, e. g. ,

① 这只是我自己的想法，至于别人怎么想，我就不清楚了。

② 妈妈说要来中国，至于什么时候来，还没定。

③ 我做这个工作是因为喜欢，至于报酬，我不在乎。

练 习　　**Exercises**

一、看图，根据提示用"一来……，二来……"对话：

Make a dialogue according to the picture using "一来……，二来……".

话题 1：Topic 1. 去哪儿玩?

山东：

| 泰山 |
| 孔林 |
| 日出 |
| …… |

云南：

| 石林 |
| 雪山 |
| 少数民族 |
| …… |

话题 2：Topic 2. 去哪儿吃？

去：

| 热情 |
| 漂亮 |
| 凉快 |
| 很特别 |
| 交通方便 |
| 了解传统文化 |
| 朋友说那儿很好 |
| 从来没去过 |
| 花钱不太多 |
| 环境很好 |
| …… |

不去：

| 腻 |
| 远 |
| 去过两次 |
| 没时间 |
| 没钱 |
| 有朋友来 |
| 没有空调 |
| 地方太小 |
| 人太多 |
| 天气太热 |
| …… |

二、用"再……就……"完成下边的对话：

Complete the dialogues using "再……就……".

1. 妻子：＿＿＿＿＿＿＿＿。

丈夫：行，行，我这就去外边抽。

2. 妈妈：＿＿＿＿＿＿＿＿。

儿子：好吧，我现在起床。

3. 老师：＿＿＿＿＿＿＿＿。

学生：我以后一定不迟到了。

4. 客　人：＿＿＿＿＿＿＿＿。

服务员：对不起，菜马上就来。

三、根据实际情况回答，想办法用上"才"：

Answer the questions according to the actual situation trying to use "才".

例句：A：在你们国家，你工作的公司是最大的吗？

B：不是，小林他们公司才是最大的。

1. 在你们班，你是最高的吗？

2. 你觉得怎样才能学好汉语？

3. 你觉得怎么样才能找到好工作？

4. 现在很多人觉得流行歌曲最好听，你说呢？

5. 红色是你们国家的人最喜欢的颜色吗？

四、用所给词语，根据提示完成下边的对话：

Complete the dialogues using the given words according to the clue.

1. 可惜

A：我今天听小黄说，美术馆有个西方现代油画展，你知道吗？

B：_____。 （展览日期：7.1～7.15，今天 7.17）

A：哎呀，真是_____！我特别喜欢西方的现代油画。

B：没关系，今年 10 月还有一个中国画展，你可以去看看。

A：_____。 （8 月学习结束后回国）

2. 不得不

A：现在市场 (shìchǎng, market) 竞争得真厉害！

B：可不是，_____。（降价/关门……）

A：听说有的职员也_____。（辞职/下岗 xià gǎng, to lay off）

B：现在有的大学毕业生找不到工作，_____。（考研究生）

五、用指定词语完成句子：

Complete the sentences with the given words.

1. 我只听说这次咱们是去南方，_____。 （至于）

2. 咱们班里李钟文肯定不会去，_____。 （至于）

3. 这次大同旅行参观了不少地方，_____。 （其中）

4. 学外语，听说读写都重要，_____。 （其中）

5. 大家都说这个电影不错，_____。 （值得）

6. 那个地方的风景一般，＿＿＿＿＿＿＿＿＿＿＿＿＿。　　（值得）

7. ＿＿＿＿＿＿＿＿＿＿＿，所以从来不去吃四川菜。　　（受不了）

8. 把空调温度再调低点儿，＿＿＿＿＿＿＿＿＿＿。　　（受不了）

六、用本课生词填空：

Fill in the blanks with the new words in this lesson.

1. 天气＿＿＿＿＿＿说明天最高＿＿＿＿＿＿38℃。

2. 海南岛的＿＿＿＿＿＿美极了。

3. 下课了，好多同学＿＿＿＿＿＿着老师问问题。

4. 现在人们种花的技术越来越先进，＿＿＿＿＿＿都有鲜花上市。

5. 有了空调，冬天屋里也能温暖＿＿＿＿＿＿春。

6. 老韩退休以后，在家里哄小孙子就成了他最大的＿＿＿＿＿＿。

7. 这个国家多山，冬天可以＿＿＿＿＿＿，夏天可以＿＿＿＿＿＿山。

8. 这个地方＿＿＿＿＿＿都是山，风刮不进来，所以冬天不＿＿＿＿＿＿，＿＿＿＿＿＿也不大。

9. 老董说今年夏天带全家去三峡旅游，小明就天天＿＿＿＿＿＿着放暑假。

10. 张英哥哥的孩子特别好动，每天早晨一＿＿＿＿＿＿开眼睛就开始＿＿＿＿＿＿地说呀笑呀，跑呀跳呀。

11. 大街上＿＿＿＿＿＿都是"重庆火锅"的招牌。

会 话　Dialogue

一、根据以前学过的课文，猜猜下面表中的人物各有什么爱好和特点。

Guess what is the hobby or character of each person in the list according to what you have learned.

二、根据他们的爱好和特点，说说他们会喜欢什么季节，为什么？

Tell which season they may like according to their hobby or character. Why?

名字：
左拉
飞龙
李钟文
望月
汤姆
爱珍
林福民

爱好和特点：
去世界各地旅游
穿漂亮衣服
游泳
打羽毛球
滑雪
又怕冷又怕热
踢足球

喜欢的季节：
春季
夏季
秋季
冬季

第 23 课 Lesson Twenty-three
友好交往

| 生 词 | **New Words** |

1. 约	动	yuē	to make an appointment
2. 由	介	yóu	up to somebody
3. 主力	名	zhǔlì	top player
4. 呗	助	bei	(a particle)
5. 增进	动	zēngjìn	to promote
6. 友谊	名	yǒuyì	friendship
7. 幽默	形	yōumò	humorous

8. 难得	副、形	nándé	rarely; rare
9. 上场		shàng chǎng	to take part in the competition
10. 啦啦队	名	lālāduì	cheering squad
11. 加油	动	jiāyóu	to cheer up
12. 棒	形	bàng	excellent
13. 门	量	mén	(a measure word)
14. 专业	名	zhuānyè	major
15. 别的		bié de	other
16. 何况	连	hékuàng	let alone
17. 成	动	chéng	to become
18. 通用	动	tōngyòng	to be in common use
19. 已	副	yǐ	already
20. 尽管	连	jǐnguǎn	despite
21. 互	副	hù	each other
22. 有时	副	yǒushí	sometimes
23. 对方	名	duìfāng	partner, the other side
24. 毫不		háo bù	not... at all
25. 指	动	zhǐ	to point
26. 提高	动	tígāo	to improve

专名 Proper Names

| 1. 西班牙 | | Xībānyá | Spain |
| 2. 安娜 | | Ānnà | Anna |

课　文　　Texts

1

飞龙：有几个留学生让我跟你们约一场球，时间由你定。[1]你看怎么样？

黄勇：这事可能不行。我们的几个主力不是回家了，就是生病了。[2]

飞龙：随便玩儿玩儿呗，输赢没关系，主要是为了"增进中外学生的友谊"。

黄勇：想不到你还挺幽默！行，那就明天吧。

飞龙：这是我们书上的句子，学了就得用嘛。对了，明天我给你介绍一个西班牙朋友，你们可以互相帮助。

黄勇：太好了！我们平常难得能找到西班牙留学生练习口语。[3]

飞龙：那你明天好好打，她一定愿意跟你交朋友。

黄勇：明天她也上场打吗？

飞龙：哪儿呀，她是我们的啦啦队队长。你要是打得好，她也会给你加油的。

2

黄勇：你篮球打得真棒！你是美国人吧？

麦克：对。你打得也不错。我叫麦克，你贵姓？

黄勇：别那么客气。我叫黄勇。

麦克：你是这个学校的学生吗？

黄勇：我在外语学院学习西班牙语和英语。

麦克：怎么你学习两门外语？

黄勇：西班牙语是我的专业，英语是第二外语。

麦克：原来如此。别的同学跟你一样吗？

黄勇：专业都一样，第二外语不是英语，就是日语，由自己选。

麦克：你为什么不选别的呢？

黄勇：我中学时学的就是英语，何况现在英语几乎已经成了世界通用语了。[4]

安娜通过打篮球认识了一个中国朋友，叫黄勇。黄勇学西班牙语已有四年了，不过是在中国学的。安娜尽管只学过八个月汉语，但都是在中国学的。[5]所以她说汉语比黄勇说西班牙语流利一些。他们俩现在互帮互学。有时黄勇说西班牙语，安娜说汉语；有时都说西班牙语；有时都说汉语。只要对方说错了，就毫不客气地指出来，特别有意思。两个人的水平都有了很大提高。周围的同学没有不羡慕他们的。[6]

注 释　Notes

[1] 时间由你定。

"由"在句子中放在施动者前边，使施动者显得突出。动作的对象可以放在动词后，也可以放在"由"前边。例如：

"由" is placed before the agent in a sentence to emphasize the agent. The object of the action can be placed after the verb as well as before "由", e.g.,

① 现在由刘先生介绍这次旅行的计划。

② 由同学们自己安排这次汉语演讲比赛。

③ 外国客人由市长陪同，参观了我们的学校。

④ 这些教室由赵师傅负责打扫。

[2] 我们的几个主力不是回家了，就是生病了。

"不是……，就是……"表示肯定做两件事中的一件，或所说的两种情况中肯定有一个是真的。例如：

"不是……就是……" means that either one of the two things is done, or that either one of the two situations is true, e. g. ,

① 飞龙今天没有学习，不是看电视，就是听音乐。

② 望月的房间里没开灯，她不是出去了，就是睡觉了。

③ 九号楼不是这座，就是旁边那座。

④ 你的自行车不是在楼门口，就是在车棚里，不会丢的。

注意 (NB)："除了……，就是……"和"不是……，就是……"的区别。

The difference between "除了……就是……" and "不是……就是……".

(1) 在表示经常交替做两件事时，两种说法都可以用。例如：

Both of the two expressions can be used to show that two things are done alternately, e. g. ,

⑤ 他每天除了/不是听录音，就是练生词。

(2) "不是……，就是……"可以表示估计、判断，"除了……，就是……"没有这种用法。例如：

"不是……就是……" can be used to express an estimation or a judgment, but "除了……就是……" can't be used in this way, e. g. ,

⑥ 我的钥匙不是忘在宿舍了，就是丢了。[× （除了……，就是……）]

(3) "不是……，就是……"可以用于说明某个具体时间做什么，"除了……，就是……"没有这种用法。例如：

"不是……就是……" can be used to indicate doing something in a specific time, but "除了……就是……" can't be used in this way, e. g. ,

⑦ 每天这个时间，幼儿园的孩子们不是在吃水果，就是在吃点心。

[× （除了……，就是……）]

[3] 我们平常难得能找到西班牙留学生练习口语。

(1) "难得"用作副词，表示不常常发生。例如：

As an adverb, "难得" means "seldom happen", e. g. ,

① 你难得来一趟，今天别走了。

(2) "难得"用作形容词，表示不容易得到或做到。例如：

As an adjective，"难得" is used to express hard to get something or succeed in doing something, e. g.,

② 公司派老王去美国学习，这是一个难得的机会。

③ 我在中国遇见了我小学时的同学，太难得了。

④ 爱珍感冒发烧还来上课，真难得。

[4] 我中学时学的就是英语，何况现在英语几乎已经成了世界通用语了。

"何况"用于递进复句。

"何况" is used in a progressive compound sentence.

（1）用在反问句前边，强调说明某一结论很明显，不用具体说。例如：

It can be used before a rhetorical question to emphasize that some conclusion is very obvious and does not need to be explained in detail, e. g.,

① 这个字很多中国人都不认识，何况留学生呢？

② 王府井平时人就很多，何况今天是星期天呢？

（2）补充更有力的理由，有"再说"的意思。例如：

It is also used to add stronger reasons, meaning "再说" (moreover), e. g.,

③ 飞龙第一次来，何况汉语又不太好，可别迷了路。

④ 这衣服款式新，何况价钱也不贵，买一件吧。

[5] 安娜尽管只学过八个月汉语，但都是在中国学的。

"尽管"用于让步复句，意思跟"虽然"一样。可以用在第一个句子前，也可以用在第二个句子前。例如：

"尽管", used in a compound sentence of concession, has the same meaning as "虽然". It can be placed either at the beginning of the first clause or at the beginning of the second clause, e. g.,

① 尽管昨天晚上下了一夜雨，今天却一点儿也不凉快。

② 尽管我们解释了半天这样做的理由，他还是不理解。

③ 爷爷每天工作八个小时以上，尽管他已经快 70 岁了。

[6] 周围的同学没有不羡慕他们的。

在一个句子里用两个否定词表示肯定的意思，语法上叫"双重否定"。双重否定的形式有："不……不……"、"没有……不……"、"不……没有……"、"没有不……"等。

例如：

In this sentence，two negative expressions are used to express affirmation. The grammatical term for this is "double negation". The forms of double negation include "不……不……"，"没有……不……"，"不……没有" and "没有不……"，etc.，e.g.，

① 这么重要的比赛我不能不看。

② 大家都在议论这件事，他不会不知道。

③ 整个夏天他没有一天不游泳的。

④ 两个星期以前就通知他们考试的日期了，不应该没时间复习。

⑤ 认识左拉的人没有不说他可爱的。

练 习　　Exercises

一、看图用"不是……就是……"回答问题：

Answer questions using "不是……就是……" according to each picture.

1.

左拉的词典呢？

2.

这里天气怎么样？

3.

谁给李钟文打电话？

4.

老董的爱人逛商店时喜欢看什么？

5.

你估计飞龙现在在干什么？

6.

旅游团的人现在在干什么？

二、用指定词语完成对话：

Complete the dialogues with the given words.

1. 尽管

1) A：听说这个学校比较小，你怎么不换个学校呢？

   B：＿＿＿＿＿＿＿＿＿＿＿＿＿＿。

2) A：老王整天忙得不得了，身体怎么还那么好？

   B：＿＿＿＿＿＿＿＿＿＿＿＿＿＿。

3) A：昨天晚上下了一夜雨，今天外边是不是凉快多了？

   B：＿＿＿＿＿＿＿＿＿＿＿＿＿＿。

4) A：大夫不是说不让老董抽烟了吗？他怎么还抽？

   B：＿＿＿＿＿＿＿＿＿＿＿＿＿＿。

2. 何况

1) A：林福民去长白山旅游，不知道顺利不顺利。

   B：他是第一次去东北，＿＿＿＿＿＿＿＿，一定会遇到些困难。

2) A：老王怎么戒烟了？

   B：他爱人让他戒烟，＿＿＿＿＿＿＿＿，他不得不戒。

3) A：你怎么不买卧铺票呀？

   B：天津离这里这么近，＿＿＿＿＿＿＿＿。

4) A：你买这本吧，这本词典收词很多，＿＿＿＿＿＿＿＿。

   B：好，我买这本。

三、用"不……不……"或"没有……不……"改写句子：

Rewrite the sentences using "不……不……" or "没有……不……".

1. 新疆人都会唱歌跳舞。

2. 去过西门饭店的人都说那儿的菜好吃。

3. 李钟文每个假期都去旅游。

4. 小明起床晚了，为了不迟到，他只好打的去学校。

5. 世界上的老鼠都怕猫。

6. 好朋友的婚礼我一定得参加。

7. 放心吧，他答应帮你搬家，就准会来的。

8. 他们夫妻俩感情非常好，生活一定很幸福。

四、用括号中的词语完成句子：

Complete the sentences with the words in the brackets.

1. 亚洲明星队是_____。　　　（由，组成）

2. 学校组织集体旅行，去哪儿旅行_____。　（由，决定）

3. 我们家一天三顿饭_____。　　（由，做）

4. _____，多买点儿吧。　　　　（难得）

5. 小王要回家乡去工作了，_____。　（难得）

6. 有个报社请爱珍去当翻译，_____。　（难得）

7. 左拉说他学汉语不是为了考试，他对考试成绩_____。（毫不）

五、用本课生词填空：

Fill in the blanks with the new words in this lesson.

1. 张英_____黄勇去看电影。

2. 要是_____队员不受伤，我们输不了。

3. 语言实践活动可以_____同学们之间的了解和_____。

4. 老董说话很_____，常常使大家笑个不停。

5. 飞龙摔折了胳膊，不能_____比赛了。

6. 安娜带着_____为他们班的队员们_____。

7. 爷爷的身体_____极了。

8. 这几_____是_____课，_____都是基础课。

9. 这种电脑软件是世界_____的。

10. _____ 左拉会找中国的老人们聊天儿，所以他的口语水平
    _____ 得很快。

会 话　　**Dialogue**

一、想想表格中人物的爱好和特点，猜猜这些练习汉语的方法是谁的。

Guess which person in the list practises Chinese in which of these methods.

二、说说这些方法有什么优点和缺点。

Tell the advantage and disadvantage of these methods.

名字： 林福民 爱珍 汤姆 望月 李钟文 飞龙 左拉 安娜	练习汉语的方法： 出去旅行，练习听说 找辅导老师 跟中国学生互相帮助 打羽毛球，认识中国人 跟中国朋友一起踢球、看球 交中国朋友，去中国家庭做客 上街跟中国人聊天儿 没有特别的方法	优点和缺点： ……

第 24 课 Lesson Twenty-four
你考得怎么样

生 词		**New Words**	
1. 简直	副	jiǎnzhí	simply
2. 到底	副	dàodǐ	(used in a question for emphasis)
3. 补考	动	bǔkǎo	to make up examination
4. 核实	动	héshí	to check
5. 反而	连	fǎn'ér	instead

6.	表	名	biǎo	form
7.	脸色	名	liǎnsè	look
8.	舒服	形	shūfu	(to feel) well
9.	隔壁	名	gébì	neighbor
10.	搬	动	bān	to move
11.	吵	动	chǎo	to make too much noise
12.	弹	动	tán	to play
13.	钢琴	名	gāngqín	piano
14.	人家	代	rénjia	certain person(s)
15.	据说	动	jùshuō	It's said...
16.	哪怕	连	nǎpà	even
17.	道理	名	dàolǐ	reason
18.	学期	名	xuéqī	term, semester
19.	末	名	mò	end
20.	课程	名	kèchéng	course
21.	刻苦	形	kèkǔ	diligent
22.	安心	形	ānxīn	concentrated
23.	复习	动	fùxí	to review
24.	手段	名	shǒuduàn	method
25.	真正	形	zhēnzhèng	real, genuine
26.	目的	名	mùdì	purpose, aim
27.	赞同	动	zàntóng	to agree with（to）
28.	观点	名	guāndiǎn	viewpoint

课 文　Texts

1

张英：瞧你一脸高兴的样子，有什么好事？

左拉：简直不敢想，结果会是这个样子！[1]

张英：你快说，到底怎么回事？[2]

左拉：上个星期二口语课考试，当时我有点儿紧张，担心考不好。

张英：你考得怎么样？成绩出来了吗？

左拉：别提了，昨天我知道了成绩，不及格。

张英：那你多倒霉啊，还得补考。

左拉：可不是嘛。可刚才我去找老师核实了一下，你猜怎样？我不但
　　　不用补考，反而成了全班第一。[3]原来是老师把成绩表弄错了！

张英：啊！？太好啦！你真不简单！

2

老董：老王，你脸色不太好，是不是不舒服呀？

老王：不是。我家隔壁新搬来一家，天天吵得我睡不好觉，所以这几
　　　天一直没精神。

老董：睡不好觉可是个大问题啊。

老王：谁说不是呀。后来我才知道，他们家孩子要考音乐学院，所以
　　　天天不是弹琴就是唱歌。

老董：原来是这样。人家要准备考试，你应该理解人家；反过来，你
　　　要睡觉，他们也应该理解。[4]这事儿你最好跟他们说说。

老王：还是不说吧，据说音乐学院挺难考的。[5]

老董：那也不行啊！谁也不能影响别人的正常生活，哪怕他（她）要考
　　　大学。[6]

老王：道理上虽说是这样，可现在的孩子考大学也确实挺不容易的。
　　　算了，反正过几天考完就没事了。

老董：你真能理解人啊，我得向你学习。

3

又到学期末了，大多数课程都已经结束，同学们正在准备考试。今年北京的夏天特别热，热得简直让人受不了。但为了准备考试，同学们还是非常刻苦。好在教室、宿舍里都装有空调，大家可以安心地看书复习。平时学习认真的同学，现在根本不用担心考试成绩。飞龙告诉大家：考试只是一种手段，学一口流利的汉语才是我们真正的目的，所以大家不要太紧张。大家都赞同他的观点。

注 释　Notes

[1] 简直不敢想，结果会是这个样子！

"简直"表示完全如此或差不多如此，带有夸张的语气。例如：
"简直" means absolute or almost. It is used as a way of exaggeration, e.g.，

① 这天气简直把人热死了。

② 这孩子简直是个天才。

③ 姑姑家的院子里种满了花，简直像个大花园。

④ 我简直不能相信，丢了半年的车，又找回来了。

⑤ 爱珍的汉语说得简直跟中国人一样。

⑥ 他那种骄傲的样子简直让人受不了。

[2] 到底怎么回事?

"到底"用在疑问句中加强语气,表示对事情进一步追问。跟"什么"、"谁"、"怎么"、"哪儿"……等疑问代词或"……不……"、"……没……"一起用。例如:

"到底" is used to strengthen the mood in the question and make further enquiries. It is used together with interrogative pronouns such as "什么","谁","怎么" or "哪儿". It can also be used with "……不……" or "……没……", e. g.,

① 这份没有名字的考卷到底是谁的?

② 爸爸到底什么时候才能回来呀?

③ 飞龙不知道爱珍到底是怎么记住那么多生词的。

④ 今天的电影你到底看不看?

[3] 我不但不用补考,反而成了全班第一。

"不但不/没……,反而……",前一小句表示按常理应该发生的情况没有发生,后一小句表示按常理不应该发生的情况却发生了。例如:

"不但不/没……反而……". The first clause indicates that something supposed to happen did not happen, and the second clause indicates something not supposed to happen has happened, e. g.,

① 放学以后,小明不但没马上回家,反而去了网吧。

② 吃了药,病不但没好,反而更厉害了。

③ 去国外工作了三个月,老董不但没瘦,反而胖了。

[4] 人家要准备考试,你应该理解人家;反过来,你要睡觉,他们也应该理解。

"反过来"表示从相反的方面说,引出跟上文相反的另一种意见或情况。例如:

"反过来" is used to indicate opposite opinion or situation to what is mentioned before, e. g.,

① 天气热的时候人体需要补充很多水;反过来,天气冷的时候就不需要补充很多水。

② 你对别人好,别人也会对你好;反过来,你对别人不好,别人也会对

你不好。

③ 努力学习才能取得好成绩；反过来，不努力的人，什么也学不好。

[5] 据说音乐学院挺难考的。

"据说"，插入语，说明消息的来源，意思是"根据别人说"。例如：

"据说"，functioning as a parenthesis，indicates the source of a piece of news，meaning "根据别人说"（according to other people），e. g.，

① 据说这棵树已经 400 多岁了。

② 这种菜据说可以美容。

③ 据老董说，他们住的那座楼要拆了。

[6] 谁也不能影响别人的正常生活，哪怕他（她）要考大学。

"哪怕"用于让步复句，表示假设的让步，意思跟"就是"一样。口语用法，书面语用"即使"。

"哪怕" is used in a hypothetical compound sentence of concession. It is equivalent to "就是" and is used in spoken Chinese. "即使" is used in written language.

（1）"哪怕……也……"，表示对"也"后边内容的选择或肯定。例如：

"哪怕……也……" is used to introduce a choice from or an affirmation of what is put after "也"，e. g.，

① 哪怕不睡觉，我也要把这本书看完。

② 哪怕卖掉所有的东西，父母也要给孩子治病。

（2）"哪怕"用在第二个句子前边，表示对第一个句子内容的选择或肯定。例如：

"哪怕" used at the beginning of the second clause introduces an example or an affirmation of what is mentioned in the first clause，e. g.，

③ 每个人都应该遵守法律，哪怕他（她）是总统。

④ 孩子要尊敬父母，哪怕有时候父母也会犯错误。

练 习　　**Exercises**

一、看图说话（用"不但不/没……反而……"）：

Look and say（using "不但不/没……反而……"）.

1.

2.

比赛结果：
主队 60
客队 80

3.

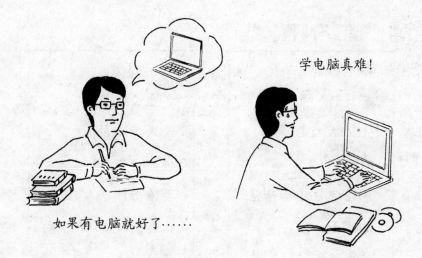

4.

5.

二、用"哪怕"连句：

Make sentences using "哪怕".

再忙	他不去
下大雨	不坐公共汽车
什么都不买	没人笑话你
不睡觉	懂这个道理
总经理自己去请他	要准时到教室上课
走着去	他不改变他的主意
不吃早饭	买汉语书
大家都反对	看一看当天的报纸
说错了	把今天的作业做完
小孩子	咱们得去

例如：哪怕再忙，咱们也得去。

三、用"到底"完成对话：

Complete the dialogues using "到底".

1. A：_____？

   B：我这就走，你再等我 5 分钟。

2. A：既不是你的，也不是他的，_____？

   B：我也不知道，你问问别人吧。

3. A：平时这时候他早就到了。

   B：谁说不是呢？今天_____？

4. A：我给你讲了半天，你_____？

   B：我还是不太明白。

5. A：_____？

   B：你跟我走就行了。

四、用括号中的词语完成句子：

Complete the sentences using the words in the brackets.

1. 我今天忙得一天没吃饭，_____。 （简直）

2. 他弄脏了我的衣服，还不道歉，_____。 （简直）

3. 老董的爱人昨天做了美容，今天来上班，大家_____。

   （简直）

4. 刚才张英说话太快了，_____。 （简直）

5. _____，你去那儿旅游时多带点儿衣服。 （据说）

6. _____，所以他这几天没来上课。 （据说）

7. 夏天买冷饮的比较多，_____。 （反过来）

8. 年轻人不懂老年人的想法，_____，所以经常有矛盾。

   （反过来）

五、用本课生词填空：

Fill in the blanks with the new words in this lesson.

1. 汤姆上学期有一门专业课不及格，需要_____。

2. 你_____不好，是不是身体不_____？

3. _____新_____来的小伙子一天到晚开着音响，_____得邻居不能休息。

4. 张英的哥哥不但会弹_____，而且还会_____吉他。

5. 这孩子虽然年纪小，可是非常懂_____。

6. 安娜平时学习非常_____，所以她的成绩很好。

7. 爱珍学汉语的_____是为了学唱京剧。

8. 这个_____快要结束了，同学们都在_____，准备考试。

9. 关于这个问题的对或错，每个人都可以说出自己的_____。

10. 汤姆是一个_____的足球迷，只要有比赛，他就非看不可。

会话　**Dialogue**

一、回忆一下，下面这些不愉快的事都是谁遇到的。

Recall who has been in the following troubles.

二、这些事是怎么发生的？对他们有什么影响？解决了吗？

How did they get into these troubles? Did these troubles have any influence
on them? Are these troubles solved?

- 摔断了胳膊
- 学习成绩下降了
- 出去旅游晕车
- 同屋是个"夜猫子"
- 房间正对着公共汽车站，夜里睡不着觉
- 看了一场不够精彩的球赛
- 隔壁的邻居吵得他不能睡觉

第 25 课 Lesson Twenty-five
告 别

生 词		**New Words**	

1. 眼看	副	yǎnkàn	soon
2. 舍不得	动	shěbude	to hate to part with
3. 十分	副	shífēn	very
4. 紧急	形	jǐnjí	urgent
5. 遗憾	形、名	yíhàn	regretful；pity
6. 通信	动	tōngxìn	communication
7. 地址	名	dìzhǐ	address
8. 机会	名	jīhuì	opportunity

9. 联系	动	liánxì	to contact
10. 一路顺风		yílù shùnfēng	to have a good trip
11. 短	形	duǎn	short
12. 刚刚	副	gānggāng	just
13. 一下子	副	yíxiàzi	in a short while
14. 数	动	shǔ	to be reckoned as exceptionally (good, bad, etc.)
15. 经历	名、动	jīnglì	experience; to experience
16. 一辈子	名	yíbèizi	throughout one's life
17. 之间	名	zhījiān	among
18. 结	动	jié	to establish
19. 深厚	形	shēnhòu	profound
20. 地久天长		dì jiǔ tiān cháng	everlasting and unchanging
21. 岂	副	qǐ	(used to ask a rhetorical question)
22. 痛	副	tòng	(to drink) to one's heart's content
23. 歌颂	动	gēsòng	to extol
24. 终日	副	zhōngrì	all day long
25. 游荡	动	yóudàng	to wander about
26. 奔波	动	bēnbō	to rush about
27. 流浪	动	liúlàng	to roam about
28. 荡桨		dàng jiǎng	to row an oar; boating
29. 劳燕分飞		láo yàn fēn fēi	to be separated unwillingly
30. 隔	动	gé	to be apart from
31. 重洋	名	chóngyáng	oceans

课文　Texts

1

望　月：想不到你这就要回国了，其实，眼看学期就要结束了。[1]

李钟文：是啊，我也舍不得回去。[2]本来打算课程学完以后再去各地旅行的，可现在不行了。

望　月：没跟公司说课程马上就要结束了吗？

李钟文：说了，可公司说有十分紧急的事情，需要马上回去。真遗憾，不能跟你们一起继续学习了。

望　月：我也觉得很遗憾。这是我的通信地址，有机会再联系吧。

李钟文：这是我的，回国后一定跟我联系。

望　月：我会的。祝你一路顺风！再见！

李钟文：谢谢！再见！

2

老　师：学期结束了，现在大家一定有许多话要说。

爱　珍：时间太短了，我感觉好像才刚刚开始，一下子就结束了。[3]

飞　龙：虽说时间很短，可我过得很愉快，而且还认识了几个中国朋友。

爱　珍：汤姆，你呢？这些日子，咱们班就数你的经历最丰富。[4]

汤　姆：我？我一辈子也忘不了在这里发生的事，特别是我受伤住院后大家对我的关心。

望　月：这段时间学习真够紧张的，不过也真学到了很多东西。

老　师：虽然大家在一起学习的时间不长，但是互相之间结下了深厚的
　　　　友谊。我建议咱们一起唱支歌——《友谊地久天长》。

3

《友谊地久天长》

1. 怎能忘记旧日朋友，心中能不怀想，旧日朋友岂能相忘，友谊地久天长。友谊万岁，朋友，友谊万岁，举杯痛饮，同声歌颂友谊地久天长！

2. 我们曾经终日游荡，在故乡的青山上，我们也曾历经苦辛，到处奔波流浪。（友谊万岁，……同声歌颂友谊地久天长！）

3. 我们也曾经终日逍遥，荡桨在绿波上，但如今却劳燕分飞，远隔大海重洋。（友谊万岁，……同声歌颂友谊地久天长！）

4. 我们往日情意相投，让我们紧握手，让我们来举杯畅饮，友谊地久天长。（友谊万岁，……同声歌颂友谊地久天长！）

注 释　　Notes

[1] 眼看学期就要结束了。

"眼看"表示某个情况马上就要发生，是"很快"、"马上"的意思。可以放在主语前，也可以放在主语后。例如：

"眼看" indicates that something will happen very soon, meaning "很快","马上"(soon). It can be placed before the subject as well as after it, e.g.,

① 眼看就要下雨了，小明怎么还不回来呀？

② 眼看就要毕业了，你应该好好准备毕业考试。

③ 天气眼看凉快了，空调用不着了。

[2] 我也舍不得回去。

"舍不得"表示因为喜爱一个地方、一件东西或一个人，而不愿意放弃、离开或避免发生对其不利的事。例如：

"舍不得" indicates that because one likes a place, a thing or a person so much that one doesn't want to leave it, give it up or prevents something harmful to it to happen, e.g.,

① 在这儿住了这么多年，现在要搬家了，真舍不得。

② 分别时，他们谁也舍不得谁。

③ 奶奶过生日时我送给她的毛衣，她一直舍不得穿。

④ 妈妈舍不得让孩子干重活儿。

[3] 一下子就结束了。

"一下子"表示某个动作在短时间内完成或某个情况在短时间内发生变化。作状语。例如：

"一下子" expresses that an action is completed or a situation changes in a short time and functions as an adverbial, e.g.,

① 汉语不是一下子就能学好的。

② 我一下子记不住这么多生词。

③ 老董最近怎么了？一下子瘦了那么多。

[4] 咱们班就数你的经历最丰富。

"数"用于指出在某个范围内最好（最突出）的一个。

"数" is used to point out the best one in a certain group. It can be used in the following structures：

（1）"要＋数＋名词"。例如：

"要＋数＋noun", e.g.,

① 世界上最可爱的动物要数大熊猫了。

② 我们家的孩子当中，最聪明的要数小明，什么都是一学就会。

（2）"数＋小句"。例如：

"数＋clause", e.g.,

③ 我们家的孩子当中，数小明最聪明。

④ 要说年龄，数老王最大；要说个子，数老董最高。

练习　　Exercises

一、用括号中的词语完成对话：

Complete the dialogues with the words in the brackets.

1. A：你们班谁个子最高？

   B：要说个子，＿＿＿＿＿＿＿＿＿＿＿＿＿。　　（数）

2. A：谁的歌唱得最好听？

   B：＿＿＿＿＿＿＿＿＿＿＿＿＿＿＿。　　（数）

3. A：在你去过的地方中，哪儿给你的印象最深？

   B：要说印象深，＿＿＿＿＿＿＿＿＿＿＿；　　（数）

   　要说印象好，还得＿＿＿＿＿＿＿＿＿＿＿。　　（数）

4. A："瞎"字怎么写来着？我＿＿＿＿＿＿＿＿＿。　　（一下子）

   B：左边是"目"，右边……我也＿＿＿＿＿＿＿。　　（一下子）

5. A：昨天你包的饺子客人们喜欢吗？

   B：当然了，＿＿＿＿＿＿＿＿＿＿＿。　　（一下子）

6. A：这破手机你还没扔啊？

   B：这是我工作以后买的第一部手机，＿＿＿＿＿。　　（舍不得）

7. A：你为什么不让儿子去外地上大学？

   B：我就这么一个孩子，＿＿＿＿＿＿＿＿＿＿。　　（舍不得）

8. A：奶奶为什么不去医院看病啊？

   B：现在看病很贵，＿＿＿＿＿＿＿＿＿＿＿。　　（舍不得）

二、用括号中的词语完成句子：

Complete the sentences using the words in the brackets.

1. ＿＿＿＿＿＿＿＿，你准备好礼物了吗？　　（眼看）

2. ＿＿＿＿＿＿＿＿，你还不好好复习复习？　　（眼看）

3. 今天他在自由市场看到苹果很便宜，＿＿＿＿＿。　　（一下子）

4. 听说自己考上了北京大学，他＿＿＿＿＿＿＿。　　（一下子）

5. 这次泰山旅行＿＿＿＿＿＿＿＿＿＿＿＿＿＿。　　（一辈子）

6. 真倒霉！新买的空调＿＿＿＿＿＿＿＿＿。　　（刚刚）

三、用本课生词填空：

Fill in the blanks with the new words in this lesson.

1. 结业晚会上，同学们又说又笑，又唱又跳，＿＿＿＿＿＿热闹。

2. 这事十分＿＿＿＿＿＿，你得赶快办。

3. 李钟文不能参加我们的晚会了，真＿＿＿＿＿＿。

4. 毕业前，同学们都互相留下了＿＿＿＿＿＿ ＿＿＿＿＿＿。

5. 有＿＿＿＿＿＿来我们国家玩儿吧。

6. 我们班同学毕业以后还一直有＿＿＿＿＿＿。

7. 虽然他在中国住的时间很＿＿＿＿＿＿，但是总感觉这儿就像他的家
   一样。

8. 几年来他们俩一起＿＿＿＿＿＿了很多事情，所以＿＿＿＿＿＿下了
   ＿＿＿＿＿＿的友谊。

会 话　　Dialogue

请你完成下面这段和同学们告别的话：

Please complete the following speech to say farewell to your classmates.

请大家不要忘记我的名字，我叫＿＿＿＿＿＿，在我们班数我＿＿＿＿＿＿。眼看
＿＿＿＿＿＿，真舍不得＿＿＿＿＿＿＿＿＿＿。我有一肚子话要说，可是
一下子＿＿＿＿＿＿。我希望＿＿＿＿＿＿。

生 词 总 表 Vocabulary

A

阿姨	名	āyí	6
哎	叹	āi	20
爱好	动、名	àihào	17
爱惜	动	àixī	19
安静	形	ānjìng	3
安心	形	ānxīn	24
按照	介	ànzhào	6

B

白	副	bái	21
搬	动	bān	24
半路	名	bànlù	13
棒	形	bàng	23
饱	形	bǎo	6
保持	动	bǎochí	14
保龄球	名	bǎolíngqiú	14
报名	动	bàomíng	7
报社	名	bàoshè	16
背后	名	bèihòu	12
呗	助	bei	23
奔波	动	bēnbō	25
本	代	běn	17
本来	副	běnlái	10
鼻涕	名	bítì	19
表	名	biǎo	24
别的		bié de	23

别提	动	biétí	13
别致	形	biézhì	11
瘪	形	biě	8
冰镇	形	bīngzhèn	2
伯父	名	bófù	6
伯母	名	bómǔ	6
不但…而且…		búdàn…érqiě…	3
不用	副	búyòng	9
不得不		bù dé bù	22
不然	连	bùrán	16
不如	动、连	bùrú	9
不停		bù tíng	22
补考	动	bǔkǎo	24
部分	名	bùfen	7

C

猜	动	cāi	1
菜谱	名	càipǔ	2
草原	名	cǎoyuán	7
差不多	副	chàbuduō	5
产品	名	chǎnpǐn	10
长寿	形	chángshòu	14
场	量	chǎng	21
超级	形	chāojí	21
超市	名	chāoshì	9
吵	动	chǎo	24
炒烤牛肉		chǎo kǎo niúròu	2
衬衫	名	chènshān	11

称呼	动、名	chēnghu	6
成	动	chéng	23
成绩	名	chéngjì	10
重洋	名	chóngyáng	25
出线		chū xiàn	21
除非	连	chúfēi	21
除了…以外		chúle…yǐwài	7
传统	名	chuántǒng	6
辞职		cí zhí	16
聪明	形	cōngming	1
从来	副	cónglái	1
从事	动	cóngshì	12
从头到尾		cóng tóu dào wěi	13
从小	副	cóngxiǎo	9
存	动	cún	17

D

答应	动	dāying	16
打（车）	动	dǎ（chē）	5
打赌		dǎ dǔ	15
打气		dǎ qì	8
打折		dǎ zhé	11
代表	动、名	dàibiǎo	19
耽误	动	dānwu	8
担心	动	dānxīn	24
当面		dāng miàn	12
档	名	dàng	8
荡桨		dàng jiǎng	25
倒	动	dǎo	5
倒霉		dǎo méi	19
导游	名	dǎoyóu	13
到处	副	dàochù	22
到底	副	dàodǐ	24

倒	副	dào	14
道德	名	dàodé	21
道理	名	dàolǐ	24
得	动	dé	10
得	助动	děi	10
登	动	dēng	22
登记	动	dēngjì	24
的确	副	díquè	8
地道	形	dìdao	2
地久天长		dì jiǔ tiān cháng	25
地址	名	dìzhǐ	25
点	动	diǎn	2
电脑	名	diànnǎo	9
电视剧	名	diànshìjù	15
电梯	名	diàntī	10
电子	名	diànzǐ	9
调	名	diào	15
调查	动、名	diàochá	16
动物	名	dòngwù	17
都	副	dōu	20
堵（车）	动	dǔ（chē）	5
短	形	duǎn	25
段	量	duàn	1
断	动	duàn	11
对	动	duì	4
对方	名	duìfāng	23
对外		duì wài	12
多数	名	duōshù	16

F

发	动	fā	7
发烧		fā shāo	19
发音	名、动	fāyīn	1

发展	动	fāzhǎn	8
反而	连	fǎn'ér	24
反正	副	fǎnzhèng	15
饭馆	名	fànguǎn	2
方便	形	fāngbiàn	3
方面	名	fāngmiàn	18
放松	动	fàngsōng	13
放心		fàng xīn	11
非…不可		fēi…bùkě	20
份	量	fèn	7
丰富	形	fēngfù	7
丰富多彩		fēngfù duōcǎi	7
风光	名	fēngguāng	7
风景	名	fēngjǐng	22
风沙	名	fēngshā	22
风味	名	fēngwèi	2
缝	动	féng	8
佛像	名	fóxiàng	13
否则	连	fǒuzé	18
服	动	fú	19
副	量	fù	11
附近	名	fùjìn	2
复习	动	fùxí	24
复杂	形	fùzá	19

G

敢	助动	gǎn	5
感觉	动、名	gǎnjué	13
刚刚	副	gānggāng	25
钢琴	名	gāngqín	24
胳膊	名	gēbo	19
歌颂	动	gēsòng	25
歌星	名	gēxīng	15

隔	动	gé	25
隔壁	名	gébì	24
各	代	gè	17
各种各样		gè zhǒng gè yàng	9
根本	副	gēnběn	18
公司	名	gōngsī	1
够	副	gòu	11
古迹	名	gǔjì	7
拐	动	guǎi	3
怪不得	副	guàibude	3
观点	名	guāndiǎn	24
关键	名、形	guānjiàn	15
关心	动	guānxīn	14
关照	动	guānzhào	1
管	动	guǎn	10
光	副	guāng	12
光临	动	guānglín	8
广告	名	guǎnggào	10
逛	动	guàng	9
规矩	名	guīju	6
规律	名	guīlǜ	20
果汁	名	guǒzhī	2

H

害怕	动	hàipà	13
寒冷	形	hánlěng	22
行家	名	hángjiā	11
行业	名	hángyè	8
毫不		háo bù	23
好吃	形	hǎochī	2
好处	名	hǎochu	14
好话	名	hǎohuà	12
好心	形、名	hǎoxīn	13

嗬	叹	hē	18	既然	连	jìrán	10
何况	连	hékuàng	23	继续	动	jìxù	14
合适	形	héshì	6	寂寞	形	jìmò	19
红	形	hóng	15	家人	名	jiārén	6
厚	形	hòu	11	家庭	名	jiātíng	18
后悔	动	hòuhuǐ	11	加油	动	jiāyóu	23
互	副	hù	23	架	名	jià	11
互相	副	hùxiāng	18	假日	名	jiàrì	17
华侨	名	huáqiáo	1	尖椒苦瓜		jiānjiāo kǔguā	2
划算	动	huásuàn	17	简单	形	jiǎndān	3
滑雪	动	huáxuě	22	简直	副	jiǎnzhí	24
化纤	名	huàxiān	8	减肥		jiǎn féi	10
环境	名	huánjìng	2	减少	动	jiǎnshǎo	18
换	动	huàn	4	建议	动、名	jiànyì	5
黄	形	huáng	12	健康	形、名	jiànkāng	14
回	量	huí	13	健美操	名	jiànměicāo	14
火炉	名	huǒlú	22	健身房	名	jiànshēnfáng	3
货	名	huò	9	讲价（钱）		jiǎng jià (qian)	9
				交	动	jiāo	19
				交谊舞	名	jiāoyìwǔ	14
J				教授	名	jiàoshòu	16
				教学	名	jiàoxué	12
几乎	副	jīhū	18	结	动	jié	25
机会	名	jīhuì	25	结果	名	jiéguǒ	15
激烈	形	jīliè	14	结束	动	jiéshù	1
集邮		jí yóu	17	节目	名	jiémù	17
挤	形、动	jǐ	5	节奏	名	jiézòu	18
计划	名、动	jìhuà	7	解决	动	jiějué	24
记者	名	jìzhě	16	尽管	连	jǐnguǎn	23
纪录	名	jìlù	14	尽力		jìn lì	21
技术	名	jìshù	5	紧急	形	jǐnjí	25
系	动	jì	10	紧张	形	jǐnzhāng	20
季节	名	jìjié	22	京酱肉丝		jīngjiàng ròusī	2
既	连	jì	4				

京剧	名	jīngjù	1
经过	名、动	jīngguò	15
经济	名	jīngjì	16
经历	名、动	jīnglì	25
精彩	形	jīngcǎi	21
精美	形	jīngměi	17
精神	名、形	jīngshen	4
景色	名	jǐngsè	7
竞争	动	jìngzhēng	8
镜片	名	jìngpiàn	11
就是	连	jiùshì	15
具体	形	jùtǐ	7
俱乐部	名	jùlèbù	21
据说	动	jùshuō	24
决定	动、名	juédìng	5
绝对	形、副	juéduì	10

K

卡拉OK		kǎlā OK	3
开（药）	动	kāi（yào）	19
开口	动	kāikǒu	12
开赛	动	kāisài	21
开心	形	kāixīn	13
看望	动	kànwàng	19
看样子		kàn yàngzi	16
科学家	名	kēxuéjiā	16
颗	量	kē	8
咳嗽	动	késou	19
可惜	动、形	kěxī	22
刻苦	形	kèkǔ	24
课程	名	kèchéng	24
肯定	形、副	kěndìng	10
空调	名	kōngtiáo	4

恐怕	副	kǒngpà	20
空儿	名	kòngr	6
口味	名	kǒuwèi	15
扣子	名	kòuzi	8
苦	形	kǔ	2
款式	名	kuǎnshì	11

L

拉肚子		lā dùzi	19
啦啦队	名	lālāduì	23
辣	形	là	2
来不及	动	láibují	21
来着	助	láizhe	12
篮球	名	lánqiú	14
懒	形	lǎn	20
浪漫	形	làngmàn	15
劳燕分飞		láo yàn fēn fēi	25
老百姓	名	lǎobǎixìng	16
老实	形	lǎoshi	12
乐	动	lè	3
乐趣	名	lèqù	22
礼貌	名	lǐmào	6
礼物	名	lǐwù	6
理发店	名	lǐfàdiàn	3
理想	形、名	lǐxiǎng	16
厉害	形	lìhai	8
立体声	名	lìtǐshēng	15
联赛	名	liánsài	21
联系	动	liánxì	25
连锁店	名	liánsuǒdiàn	3
脸色	名	liǎnsè	24
凉快	形	liángkuai	2
聊	动	liáo	17

聊天儿		liáo tiānr	17
了解	动	liǎojiě	6
料子	名	liàozi	11
临	动	lín	4
灵	形	líng	10
领导	名、动	lǐngdǎo	16
另	代	lìng	18
流浪	动	liúlàng	25
流利	形	liúlì	1
流行	动	liúxíng	15
楼道	名	lóudào	19
路	量	lù	5
路口	名	lùkǒu	9
路线	名	lùxiàn	7
旅行	动	lǚxíng	7
旅游	动	lǚyóu	7
乱	形	luàn	3
轮胎	名	lúntāi	8

M

麻烦	名、形、动	máfan	6
满足	动、形	mǎnzú	15
慢镜头	名	mànjìngtóu	21
毛病	名	máobing	8
矛盾	名、形	máodùn	18
没错		méi cuò	9
没劲	形	méijìn	15
没用		méi yòng	13
门	量	mén	23
迷	名、动	mí	9
苗条	形	miáotiao	11
名胜	名	míngshèng	7
模特儿	名	mótèr	11

末	名	mò	24
目的	名	mùdì	24

N

拿手	形	náshǒu	2
拿主意		ná zhǔyi	18
哪怕	连	nǎpà	24
难道	副	nándào	16
难得	副、形	nándé	23
难闻	形	nánwén	24
脑子	名	nǎozi	12
内容	名	nèiróng	7
内向	形	nèixiàng	12
腻	形	nì	2
扭	动	niǔ	14
弄	动	nòng	4
暖和	形	nuǎnhuo	22

P

拍	动	pāi	15
排	量	pái	3
派	动	pài	1
盼望	动	pànwàng	22
陪	动	péi	9
脾气	名	píqi	12
皮肤	名	pífū	11
偏	副	piān	21
偏偏	副	piānpiān	4
片子	名	piānzi	20
片	量	piàn	13
便宜	形	piányi	2
骗	动	piàn	9
频道	名	píndào	15

品尝	动	pǐncháng	6
乒乓球	名	pīngpāngqiú	14
平常	名、形	píngcháng	18
平房	名	píngfáng	3
平和	形	pínghé	14

Q

其实	连	qíshí	6
奇怪	形	qíguài	12
岂	副	qǐ	25
气氛	名	qìfēn	21
气功	名	qìgōng	14
气派	形	qìpài	11
气温	名	qìwēn	22
千万	副	qiānwàn	5
谦虚	形	qiānxū	12
强	形	qiáng	21
瞧	动	qiáo	9
巧克力	名	qiǎokèlì	6
亲戚	名	qīnqi	24
轻松	形	qīngsōng	15
去世	动	qùshì	18
全家福	名	quánjiāfú	18
缺点	名	quēdiǎn	12
却	副	què	15
确实	副、形	quèshí	2

R

然而	连	rán'ér	18
然后	连	ránhòu	1
热闹	形	rènao	5
热情	形	rèqíng	2
人各有志		rén gè yǒu zhì	16

人口	名	rénkǒu	18
人物	名	rénwù	17
认	动	rèn	18
认为	动	rènwéi	16
扔	动	rēng	3
如	动	rú	22
如此	代	rúcǐ	15
如果	连	rúguǒ	6
软件	名	ruǎnjiàn	9

S

伞	名	sǎn	22
伤	名、动	shāng	19
商量	动	shāngliang	7
伤心		shāng xīn	14
上场		shàng chǎng	23
稍微	副	shāowēi	8
少数	名	shǎoshù	3
舍不得	动	shěbude	25
身	量	shēn	11
身材	名	shēncái	11
深厚	形	shēnhòu	25
甚至	副	shènzhì	19
生活	名、动	shēnghuó	9
生意	名	shēngyi	16
师傅	名	shīfu	8
失业	动	shīyè	16
十分	副	shífēn	25
十全十美		shí quán shí měi	13
实际	名、形	shíjì	16
石窟	名	shíkū	7
市场	名	shìchǎng	9
市区	名	shìqū	5

世界	名	shìjiè	17
视力	名	shìlì	10
收藏	动	shōucáng	17
收获	名、动	shōuhuò	19
收入	名	shōurù	16
手段	名	shǒuduàn	24
受	动	shòu	9，14
受不了		shòu bu liǎo	22
叔叔	名	shūshu	6
舒服	形	shūfu	24
舒适	形	shūshì	2
输	动	shū	15
熟悉	动	shúxī	3
数	动	shǔ	25
鼠标	名	shǔbiāo	9
摔跤		shuāi jiāo	19
顺便	副	shùnbiàn	3
顺序	名	shùnxù	16
说不定	动、副	shuōbudìng	12
说实话		shuō shíhuà	7
寺	名	sì	13
四季	名	sìjì	22
酸	形	suān	2
酸辣汤	名	suānlàtāng	2
算了		suàn le	10
虽说	连	suīshuō	15
随	动	suí	14
随便	形	suíbiàn	3
所有	形	suǒyǒu	13

T

塔	名	tǎ	13
台球	名	táiqiú	14

太极拳	名	tàijíquán	14
弹	动	tán	24
谈不上		tán bu shàng	17
谈话		tán huà	1
糖醋里脊		táng cù lǐji	2
躺	动	tǎng	20
趟	量	tàng	8
淘汰	动	táotài	21
讨论	动	tǎolùn	7
套	量	tào	17
特别	副、形	tèbié	1
提高	动	tígāo	23
体育场	名	tǐyùchǎng	21
添	动	tiān	6
甜	形	tián	2
调	动	tiáo	8
挺	副	tǐng	2
通过	介、动	tōngguò	21
通信	名	tōngxìn	25
通用	动	tōngyòng	23
同	形	tóng	18
同事	名	tóngshì	16
同屋	动、名	tóngwū	1
同意	动	tóngyì	4
痛	副	tòng	25
头	名	tóu	3
头疼		tóu téng	2
透	形	tòu	19
突然	形、副	tūrán	12
吐	动	tù	13
推	动	tuī	13
退	动	tuì	21

		W			现代	名	xiàndài	9
					现价	名	xiànjià	11
哇	叹	wā	20		羡慕	动	xiànmù	16
外地	名	wàidì	7		相配	形	xiāngpèi	11
外向	形	wàixiàng	12		相信	动	xiāngxìn	11
丸	名	wán	19		想法	名	xiǎngfǎ	12
完全	副	wánquán	4		项	量	xiàng	16
万一	副	wànyī	10		像	动	xiàng	18
网吧	名	wǎngbā	3		小卖部	名	xiǎomàibù	3
围	动	wéi	22		小说	名	xiǎoshuō	19
唯一	形	wéiyī	18		小心	形、动	xiǎoxīn	8
为了	介	wèile	1		校园	名	xiàoyuán	3
味道	名	wèidao	2		歇	动	xiē	5
味儿	名	wèir	2		鞋带	名	xiédài	10
文化	名	wénhuà	9		心情	名	xīnqíng	13
无	动	wú	15		辛苦	形	xīnkǔ	15
无论	连	wúlùn	13		新鲜	形	xīnxiān	20
无论如何		wúlùn rúhé	10		信	动	xìn	21
无所谓	动	wúsuǒwèi	15		醒	动	xǐng	4
午觉	名	wǔjiào	24		兴趣	名	xìngqù	7
午睡	动、名	wǔshuì	20		幸福	形	xìngfú	18
武术	名	wǔshù	7		性格	名	xìnggé	12
舞厅	名	wǔtīng	3		兄	名	xiōng	6
					许	动	xǔ	10
		X			悬空	动	xuánkōng	13
					选择	动	xuǎnzé	6
希望	动、名	xīwàng	1		学期	名	xuéqī	24
习惯	名、动	xíguàn	4					
下降	动	xiàjiàng	10				**Y**	
先	副	xiān	1					
闲	形	xián	17		烟头	名	yāntóu	3
咸	形	xián	2		严	形	yán	10
显得	动	xiǎnde	6		严重	形	yánzhòng	19
现场	名	xiànchǎng	21		沿途	名	yántú	5

研究生	名	yánjiūshēng	12	游荡	动	yóudàng	25
眼镜	名	yǎnjìng	11	游览	动	yóulǎn	7
眼看	副	yǎnkàn	25	游戏	名	yóuxì	10
秧歌	名	yāngge	14	游泳	动	yóuyǒng	14
养	动	yǎng	19	有关	动	yǒuguān	21
样子	名	yàngzi	13	有时	副	yǒushí	23
邀请	动	yāoqǐng	5	友谊	名	yǒuyì	23
要不	连	yàobù	9	于是	连	yúshì	17
要紧	形	yàojǐn	19	愉快	形	yúkuài	13
也许	副	yěxǔ	20	与其	连	yǔqí	21
夜生活	名	yèshēnghuó	20	羽毛球	名	yǔmáoqiú	14
一…就…		yī…jiù…	2	预报	动	yùbào	22
一来…二来…		yīlái…èrlái…	22	遇到		yù dào	13
一辈子	名	yíbèizi	25	原价	名	yuánjià	11
一定	副、形	yídìng	1	原来	形、副	yuánlái	3
一路顺风		yílù shùnfēng	25	愿意	动	yuànyì	16
一下子	副	yíxiàzi	25	约	动	yuē	23
一边	副	yìbiān	1	越来越…		yuè lái yuè…	3
一天到晚		yì tiān dào wǎn	17	运动	名、动	yùndòng	14
一直	副	yìzhí	4	晕车		yùn chē	13
遗憾	动、名	yíhàn	25				
已	副	yǐ	23		**Z**		
以为	动	yǐwéi	12				
因此	连	yīncǐ	11	再说	动	zàishuō	4
印象	名	yìnxiàng	3	赞同	动	zàntóng	24
赢	动	yíng	21	糟	形	zāo	8
影响	动、名	yǐngxiǎng	20	早晨	名	zǎochen	20
硬件	名	yìngjiàn	9	早起		zǎo qǐ	20
用品	名	yòngpǐn	9	增多	动	zēngduō	18
优点	名	yōudiǎn	12	增进	动	zēngjìn	23
幽默	形	yōumò	23	增长	动	zēngzhǎng	17
由	介	yóu	23	闸	名	zhá	8
由于	连	yóuyú	17	长	动	zhǎng	18
				着	动	zháo	4

照顾	动	zhàogù	18	周围	名	zhōuwéi	22
这会儿	名	zhèhuìr	8	逐渐	副	zhújiàn	18
真丝	名	zhēnsī	8	主力	名	zhǔlì	23
真正	形	zhēnzhèng	24	主要	形	zhǔyào	17
睁	动	zhēng	22	主意	名	zhǔyi	5
正	形	zhèng	4，11	著名	形	zhùmíng	21
正好	副	zhènghǎo	9	注意	动	zhùyì	18
之	助	zhī	13	专业	名	zhuānyè	23
之后	名	zhīhòu	20	转	动	zhuǎn	3
之间	名	zhījiān	25	转播	动	zhuǎnbō	21
之前	名	zhīqián	20	准	形	zhǔn	15
支	量	zhī	10	准时	形	zhǔnshí	20
知识	名	zhīshi	16	自然	名、形	zìrán	7
值得	动	zhíde	22	自由	形、名	zìyóu	9
职业	名	zhíyè	16	足球	名	zúqiú	14
职员	名	zhíyuán	1	组	名	zǔ	21
只好	副	zhǐhǎo	20	组织	动	zǔzhī	7
指	动	zhǐ	23	最好	副	zuìhǎo	11
至于	介	zhìyú	22	尊敬	动	zūnjìng	16
治	动	zhì	19	左右	名	zuǒyòu	20
终日	副	zhōngrì	25	做操		zuò cāo	20
重要	形	zhòngyào	20	做客		zuò kè	5
周	名	zhōu	14	做梦		zuò mèng	15
周到	形	zhōudào	2	做主		zuò zhǔ	18
周末	名	zhōumò	5				

专 名 Proper Names

A

爱珍		Àizhēn	1
安娜		Ānnà	23

C

长沙		Chángshā	20
重庆		Chóngqìng	20

2